인생이 글러먹은 이들에게

:
:

인생이 글러먹은 이들에게

글쓴이 현건우

1판 1쇄 인쇄 2021. 12. 15.
1판 1쇄 발행 2021. 12. 25.

펴낸곳 예지 | **펴낸이** 김종욱
편집 디자인 예온

등록번호 제 1-2893호 | **등록일자** 2001. 7. 23.
주소 경기도 고양시 일산동구 호수로 662
전화 031-900-8061(마케팅), 8060(편집) | **팩스** 031-900-8062

ISBN 979-11-87895-32-9 03980

예지의 책은 오늘보다 나은 내일을 위한 선택입니다.

camino

인생이
글러먹은
이들에게

현건우 지음

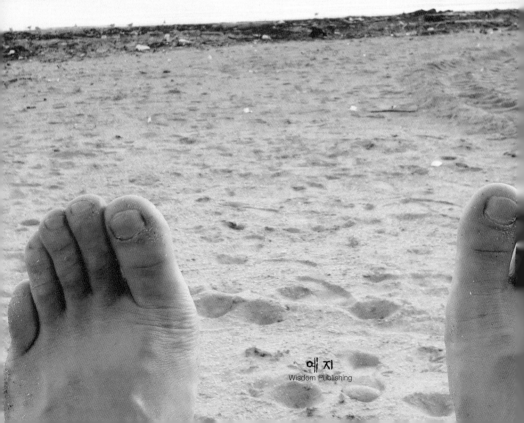

예지
Wisdom Publishing

들어가며

　삼년 전 요맘때였다. 인생에서 갈 길을 잃은 나는 바다 위 종이 배마냥 표류했다. 표류하던 종이배는 답답한 마음에 충동구매한 프랑스행 비행기를 타고 까미노 위로 향했다.

　그간의 생활이 소화되지도 못할 것들을 꾸역꾸역 밀어넣는 과정이었다면, 까미노는 나를 비우는 소화와 배설의 과정이었다. 수업이 끝나면 어김없이 과외를 하러 향했던, 타이트했던 한국 생활과는 달리 아무것도 정해진 것 없이 마음가는 대로 행동했다. 가고 싶으면 가고, 멈추고 싶으면 멈추었다. 여유로운 여정 안에서 뇌 속의 정체는 날이 갈수록 풀려갔다. 채 소화되지 못했던 그 동안의 경험들 중 필요한 영양분만 골라 흡수하다 채 소화되지 못하고 남은 찌꺼기들은 하루 끝 와인 한 병과 함께 글로써 배설되었다. 그리고 그 배설물들은 차곡차곡 저장되었다.

바다새의 배설물이 퇴적된 것을 구아노라 부른다. 한낱 배설물에 지나지 않지만 한때 잉카문명에서부터 남아메리카 몇몇 국가의 경제 기반이 되었을 정도로 소중한 자원이었다. 지금은 몰락한 남태평양 나우루는 구아노만으로 수십 년간 풍요의 끝을 달렸다. 누군가의 배설물이 누군가에게는 귀중하기 짝이 없는 자원이 된다.

그런 점에서 나는 바다새보다 못한 존재라고 생각했기에 내 똥글을 출판한다는 것은 언감생심, 꿈에도 생각지 않았다. 정신이 건강한 인간이라면 배설물을 누군가에게 보여주며 쾌감을 얻는 것은 3-4세 항문기에서 이미 졸업했어야 한다. 그러나 어디선가 내 똥글을 구아노 보듯 읽어주신 분들 덕분에 내 똥글은 책으로 출판되게 되었다. 내가 싼 똥을 다른 사람이 보아주는 데에 은근한 기쁨을 느끼는 것은 아직 내가 항문기 아이마냥 미성숙한 탓인 듯하다.

그러나 이왕 출판을 결심한 마당에 내 똥글이 하수종말처리장에서 정화되는 타 똥글들과는 달리, 단 한 사람에게라도 구아노 같은 존재였으면 하는 바람이 있다. 그렇다면 스스로 배설한 글을 누군가에게 보여준다는 부끄러움이 조금은 덜 할 것 같다.

결론은, 많은 분들이 물어보았던, 예상했던 것과는 달리 이번 책은 문제집도, 교재도, 스타트업 관련 글도 아니다. 차라리 문제집이나 교재나 스타트업 관련 글이었으면 이처럼 부끄럽지는 않았을 텐데 여정 동안 탈고 과정 한번 없이, 하루도 빠짐없이 술에 취해가며 후루룩 쓴 글이 우연한 기회로 세상의 빛을 보게 되어 쑥스럽기까지 하다.

간만에 내가 쓴 원고를 읽으며 그 동안의 여정을 되짚어보았다. 까미노를 끝낸 지 3년이 다 되어간다. 까미노는 분명 나에게 큰 영향을 주었으나 까미노 길 위의 나와 까미노 후 한국에서의 나는 사뭇 달랐다. 탈고의 과정을 한 번 거칠까 했지만, 그렇게 된다면 까미노 위 날것의 감정들이 왜곡될까 하는 우려에 탈고를 거의 안 한 상태로 오타 정도만 고쳐서 내놓기로 했다. 대신, 적어도 내놓는 입장에서 조금 덜 부끄럽도록 예쁘게 만들어볼 계획이다.

영어강사, 컨설턴트, 사업가, 사진작가에 이어 다섯 번째 자아가 눈을 뜨고 있다. 이번 자아는 어디로 나를 이끌어갈지 모르겠지만, 나는 삶이 이끄는 대로 따라갈 뿐이다. 여태 그랬던 대로.

현건우

---

* 까미노 : 스페인어로 '길'이라는 뜻으로 까미노 데 산티아고, 즉 산티아고 순롓길을 줄여 부르는 말.

차례

3부 까미노 그 후

1부

:
:

까미노 전

:
:

사랑하는 사람과
프랑스에 간다면
에스까르고를 까주세요

가을에도, 겨울에도 속하지 않는 애매한 추위가 스며들던 오늘 나는 파리에 도착했다. 오기 전에 에펠탑, 개선문이야 구글에 치면 사시사철 다양한 모습이 나오지 않느냐고, 그러니 굳이 보러 가지 않겠다고 주변 사람들에게 큰소리를 뻥뻥 쳤다. 하지만 아무래도 그 내면에는 35시간의 힘든 여정 끝에 도착한 파리에 24시간도 채 머물지 못한다는 아쉬움이 있었나 보다.

몽파르나스 역에 무거운 배낭을 맡기고 주변을 둘러보러 나왔다. 무엇보다 나름 미식의 나라라는 프랑스에 도착하고 먹은 첫 음식이 맥모닝이었다는 점이 나를 참을 수 없게 만들었다. 점심이든 저녁이든 반드시 맛있는 것을 먹어야겠다는 심산이었다. 점심시간이라기에는 조금 일렀지만 대로변 레스토랑 이곳저곳에서는 맛있는 냄새가 흘러나왔다. 서울의 레스토랑에서 풍기는 냄새와 파리의 레스토랑에서 풍기는 냄새가 크게 다를 리 없다. 하지만 35시간의 여정 후 낯선 언어들의 향연 속의 늘 맡던 그 냄새는 기분 탓인지 제법 이국적이었다.

현지인 맛집이라고 하면 보통 찾기 어려운 외진 골목 속 조그만 식당을 떠올리기 마련이다. 그리고 내가 즐겨가는 식당들은 대개 골목에 있다. 아무 근거 없지만 적어도 어느 기간 이상 살아남은 식당이라면 골목 식당들은 그들만의 무언가가 있다는 것이 내 평소 지론이다. 그래서 파리에서의 첫 점심은 골목식당에서 먹기로 결정했다. 아침에 먹은 베이컨 에그 맥머핀과 커피 한 잔은 12kg짜리 배낭을 메고 이리저리 다니는 동안 이미 뱃속에서 사라진 지 오래였다. 주린 배를 움켜잡고 맛있는 냄새가 나는 대로변 식당들을 지나 골목식당을 찾아다니기 시작했다.

참을 수 없는 허기가 밀려오며 잠시 전에 스쳐지나간 맥도날드가 생각나기 시작할 무렵 드디어 식당 하나를 찾았다. 식당 이름은 Aux Artistes. 프랑스어로 예술가 혹은 연예인이라고 한다. 사실 외관이 그렇게 식당답지는 않아 처음에는 식당인 줄도 몰랐다. 주린 매의 눈으로 운영시간에 점심 저녁시간이 구분되어 있는 것을 보고서야 알았다.

그런데 하필이면 다른 성실한 대로변 식당들과는 달리 이 식당은 무슨 배짱인지 12시부터 영업을 한단다. 12시까지는 30분이 남았다. 구글에 검색해 보니 괜찮은 평이 많았지만 다른 주변식당

연말 분위기가 물씬 풍기는 몽파르나스역(위)
기대와는 달리 우중충했던 파리 거리(아래)

역시 마찬가지였다. 하지만 이상하게도 이 식당에 꽂혀 30분을 앞에서 덜덜 떨면서 기다렸다.

20분쯤 기다렸을 때 식당 주인으로 보이는 유쾌하게 생긴 남자분이 감사하게도 문을 열고 안으로 들어오라 손짓을 하였다. 좁은 식당 안으로 들어 가보니 2인용 테이블 두 개가 4인용 테이블 하나로 보일 정도로 빽빽하게 배치되어 있었다. 프랑스식 코스요리를 파는 식당이었다. 스타터로는 에스까르고 12마리, 메인으로는 비프 굴라쉬, 디저트로는 블루치즈와 이 달의 와인 한 잔을 시켰다. 굴라쉬는 헝가리 요리지만 뭐 어떠랴, 에스까르고와 블루치즈가 프랑스식인데.

가만히 앉아서 식당 여기저기를 둘러보았다. 마치 미국식 펍처

: 내부는 예상했던 프랑스풍의 식당과는 사뭇 달랐다.

럼 벽에 다닥다닥 붙어있는 세계 각국의 자동차 번호판들 사이로 제법 멋진 미술품 몇 점이 불협화음처럼 끼워져 있는 것을 볼 수 있었다. 프랑스 가정식을 표방하면서 비프 굴라쉬를 팔고(심지어 주인장 추천요리였다!), 스테이크에 감자튀김을 내오는 주인장의 자유분방함이 그대로 녹아 있었다. 하지만 잘 만든 재즈곡처럼 그 불협화음은 분명 아름다웠다. 주문을 하고 가게를 둘러보는 15분 동안 좁은 가게는 어느새 꽉 차 있었다. 내 왼쪽에는 한 젊은 커플이, 오른쪽에는 서로 친구로 보이는 노년 부부 두 쌍이 앉았다. 총 세 쌍의 프렌치 커플 사이에서 그 가게 유일의 혼밥족은 당당히 앉아서 열심히 두리번댔다.

에스까르고가 나왔다. 버터에 볶은 바질향과 에스까르고 특유의 냄새가 훅 풍겼다. 육즙이 뚝뚝 흘렀다. 쫄깃한 육질과 바질버터의 향기로운 짭조름함. 한국에서 먹어보지 못했던 음식은 아니다. 하지만 분명 한국에서는 맛보지 못했던 맛이었다. 지금은 거들떠도 안 보는 초코파이를 이등병 때 감격하며 먹었던 것처럼 때와 장소의 차이가 한 몫 했겠지만 이렇게 훌륭한 점심을 먹는다면 저녁도 맥도날드에서 때워도 될 것 같은 만족감을 느꼈다.

: 버터에 볶은 바질향과 에스까르고
　특유의 냄새가 훅 풍겼다.

달팽이를 하나하나 까먹으며 그 환상적인 맛에 익숙해졌을 무렵 왼쪽의 커플을 보니 그네 테이블 위에는 에스까르고와 샐러드 한 접시가 놓여져 있었다. 프랑스 사람들을 떠올릴 때면 로맨틱함을 먼저 떠올리게 된다. 이들도 역시 요리가 나오기 전 서로 머리를 맞대고 손을 쓰다듬어가며 열심히 애정 표현을 하던 로맨틱한 커플이었다. 남녀가 번갈아가며 에스까르고를 열심히 까고, 그 동안 에스까르고를 까지 않는 쪽은 샐러드를 먹는다. 하지만 열심히 깐 에스까르고는 상대 입 속으로 들어간다.

노량진 수산시장에서 가운데에 새우구이를 놓고 열심히 까대는 커플을 본 적이 있다. 개인적으로 나는 새우를 사랑해 마지않지만 새우 껍질을 까는 것이 귀찮아 통새우를 잘 안 먹는다. 그런 나에게 새우를 까주거나, 아니면 내가 누군가에게 새우를 까주는 것은 상대방에 대한 어마어마한 호의이자 자기희생이다. 이들만 이러는 건지 프렌치 커플들 대부분이 이러는지는 표본이 없으니 알 수가 없지만 서로를 위해 달팽이 껍질 속에서 달팽이를 꺼내주

는 그 장면이 무척 로맨틱하게 보였다.

뒤이어 나온 비프 굴라쉬와 블루치즈, 그리고 남은 와인을 마저 마시고 자

: 뜬금없던 비프 굴라쉬

리를 떴다. 저 커플은 각자 여섯 개씩밖에 못 먹었지만 나는 열두 개나 먹었으니 된 거라고, 오늘 먹은 기름진 에스까르고는 너한테 갈 거라고 시린 옆구리를 달랬다. 사실 염장이 사정없이 질러진 탓에 마음이 헛헛할 법도 했지만 그보다 훈훈한 마음이 더 컸다.

분명한 것은 오늘의 조그만 프랑스 골목식당 속에서 꽉 찬 사람들과, 그 사람들로 인해 뿌옇게 성에가 낀 창문, 그 앞의 사이 좋던 노년 부부 두 쌍, 로맨틱했던 젊은 커플의 모습, 그리고 에스까르고는 이번 여행 중 강렬한 기억으로 남을 것 같다. 나중에 사랑하는 사람과 프랑스에 온다면 똑같은 식당 똑같은 자리에서 에스까르고를 까주고 싶다.

사랑하는 모든 사람들, 프랑스에 오면 서로에게 에스까르고를 까주세요.

9시간의
파리 풍경

점심을 먹고 이왕 나선 김에 주위를 더 둘러보기로 했다. 구글 지도를 보니 노트르담 대성당까지 걸어서 40분 남짓 걸린단다. 현재 시간은 1시 반, 내 기차는 3시 56분 기차. 2시간 반 정도가 남았다. 설렁설렁 걸어서 다녀올 시간이 충분하다. 겁도 없이 파리 시내로 뛰어 들어갔다.

알고 보니 몽파르나스 역 주변은 꽤나 번화가였다. 파리 시내가 한눈에 들어온다는 전망대가 있는 몽파르나스 타워가 있고, 바로 옆에는 그 유명한 라파예트 백화점이 있다. 들어가서 구경해 볼까 싶기도 했지만 거의 마흔 시간 동안 제대로 씻지도 못한 내 꼴은 이미 노숙자였다. 면세점에서 산 만다리나덕 슬링백과 지샥 시계 외에는 그 어느 것도 조금이라도 백화점에 어울리는 것이 없었다. 자칫 잘못 들어갔다가 이 먼 이국에서 오해받고 쫓겨날 수도 있다는 생각이 문득 들었다.

유명한 이야기지만 바로크, 로코코 시대의 파리에서는 화장실에 쌓여있는 오물을 그대로 거리에 던지는 것이 일상이었고 그 오물을 최대한 밟지 않기 위해 발명된 것이 바로 하이힐이라고 한다. 반짝이는 수천 유로짜리 하이힐로 가득 차 있을 백화점을 무심히 지나 한때 똥물이 가득했을 하이힐의 고향을 다시 걷기 시작했다.

아침에 공항리무진을 타고 파리 시내로 들어올 때 보였던 풍경에 솔직히 실망했다. 경부고속도로를 타고 수도권으로 들어올 때의 풍경과 대동소이했기 때문이다. 근대 도시의 획일화를 잘 느낄 수 있는 풍경이었다. 하지만 직접 걸은 파리는 내게 무척이나 색다르게 다가왔다. 라파예트 백화점을 시작으로 곧게 뻗은 헨느 가를 걸었다. 양쪽으로 늘어선 지

: 잿빛이었던 파리

극히 유럽스러운 건물들 1층에는 유니클로, 맥도날드 등 다국적인 상점들이 입점해 있는 모습이 새삼 흥미로웠다. 우리나라로 치자면 북촌 고희동 가옥 정도 되는 집에다 스타벅스가 입점한 정도 되시겠다. 파리가 쥐 문제로 골머리를 앓으면서까지 구도심의 건물들을 지키려는 이유를 걸으며 깨달았다.

큰길가에서 다시 내가 사랑해 마지않는 골목으로 꺾어 들어갔다. 내 의지가 아닌 구글 내비게이션의 의지였지만 골목에 대한 나의 사랑에 하늘이 감복한 것이라 믿고 싶다. 골목에 들어서자 중학교 미술 교과서에서 자주 보았던 장면이 펼쳐졌다. 일점 투시 원근법의 교과서적 재현이었다. 빽빽하게 들어선 높이가 비슷한 유럽식 건물 사이로 좁은 인도가 평행하게 있고, 그 사이로 차도

: 우중충했던 날씨는 핑크마저 우울해 보이게 했다.

가 지난다. 그리고 그 모든 길과 건물의 옥상선, 층선이 저 멀리 어딘가 한 점에서 재회하는 것이 보였다. 실제로는 평행이지만 어디선가 다시 만나보인다면 우리 눈에는 평행이 아니다. 하지만 그곳으로 가까이 가본다면 다시 그 모든 것들이 평행임은 자명해진다.

눈으로만 보아서는 사실을 파악할 수 없는 것들이 많고 사실만 보고서는 이해하기 어려운 것들이 많다. 하지만 그 순간 내게 중요한 것은 길이 평행인가 아닌가 하는 사실이 아니라 바로 그 순간이 아름다웠다는 것이다. 심미적인 관점에서 본다면 실제로 길이 평행하고 평행하지 않음은 부차적인 문제다.

이렇게 나는 파리에서 간단하게 투시원근법을 체감할 수 있었다. 그리스 파르테논 신전이나 이런 파리의 거리를 접해보면 서양에서 투시원근법이 일찍이 발달한 이유를 알 수 있다. 인위적인 풍경이 대단히 직선적으로 나타난다. 또한 가까이 있는 사물은 선명하게, 멀리 있는 사물은 흐리게 그리는 공기원근법은 동서양 모두 발달했다. 한국에서는 공기원근법을 체감하곤 했다. 고려대학교 중앙도서관 앞에서는 N서울타워와 제2롯데월드가 보인다. 다만, 그날그날 미세먼지 농도에 따라 선명하게 보이는 날도, 흐리게 보이는 날도, 아예 안 보이는 날도 있다. 아예 안 보이는 날에는 마스크를 반드시 껴야 한다. 진정한 의미의 공기원근법이다. 선조들이 미세먼지를 예상하고 붙인 이름은 아니겠지만 역시 선조들의 지혜는 대단하다.

뤽상부르 공원과 미술관, 그리고 큰 성당 옆을 지나 다시 대로

변으로 나왔다. 축구팬들에게도 익숙한 이름이고, 쇼퍼홀릭들에게는 더더욱 유명한 생 제르망 거리였다. 관광객들이 많이 찾는 샹젤리제 거리와는 달리 현지인들의 쇼핑 메카라고 한다. 쇼핑의 메카답게 엠포리오 아르마니, 루이비통, H&M, 휴고 보스 등 많은 브랜드들이 역시나 오래된 건물 1층에 자리 잡고 있었다. 그 사이로 거리의 사치와 향락에 제동이라도 걸듯 꽤나 유서 깊어 보이는 수도원이 하나 서있다.

한남동 재규어랜드로버 매장 뒤, 고급 빌라들 사이에는 큰 규모의 프란치스코 수도원이 있다. 쇼핑과 사치의 중심지에 금욕의 장소가 있음은 알 수 없는 부조화를 느끼게 하지만 파리에서는 수도원이나 명품매장이나 건축양식이 비슷비슷한 덕에 외관상으로는 여태 스쳐 지나온 여느 유럽의 거리와 크게 이질감이 없었다.

생 제르망 거리를 지나 얼마 걷지 않아 목적지에 도달했다. 노틀담의 꼽추로 유명한 노트르담 대성당, 구글이 제시해 주는 발음에 따르면 노뜨흐 담므이다. 이번 여행 때 많이 가보겠지만 내게 큰 성당은 해봐야 한국의 명동성당 정도일 뿐, 아직은 대성당이라고 불릴 만한 곳에 갔던 기억이 손에 꼽을 정도다. 내비게이션은 아직 수백 미터를 더 가야 노트르담에 도착한다고 말하고 있었지만 노트르담은 수백 미터 전에서 누가 봐도 저게 노트르담이구나 싶을 정도로 거대하다.

하늘에 닿고자 하던 인간의 오만함 때문에 언어가 다 다르게 되었다는 바벨탑 이야기는 유명하다. 물론 이야기일 뿐이지만 만일

'노뜨흐 담므'.
이제는 볼 수 없음이 아쉽기만 하다.

바벨탑이 그러한 오만 때문이 아니었고, 애초에 신에게 제사를 바치는 장소로 지어졌다면 어땠을까 하는 상상을 해본다. 우선 세계는 하나의 거대한 문화유산을 잃지 않았을 것이다. 또 상당히 직업병적인 생각인데 세계의 외국어 교육이 아예 필요 없어지니 적어도 학생들과 여행자들에게는 좀 더 살기 좋은 세계가 되지 않았을까 싶다. 배운 게 도둑질이라고 굳이 노트르담까지 와서 이런 생각을 하게 되는 내 자신이 야속했다.

한참 잡스러운 생각을 하며 세느강 다리 위에서 사진을 몇 장 찍는데 저 멀리서 추레한 옷차림의 소녀 몇 명이 클립보드에 서명지를 끼우고 다가왔다. 미리 유럽 치안에 대한 조사를 한 덕분에 그들의 목적이 명확하다는 것을 알 수 있었다. 실제로 뭐에 관한 서명이든지간에 서명을 하는 순간 그 서명은 내 지갑에 대한 양도 동의 서명이 되겠지. 우리나라에서 도선생 무시하듯 무시하고 지나가려는데 삽시간에 나를 둘러싸고 여기저기서 정신없이 말을 걸어댄다. 독한 암모니아 냄새가 코를 찔렀다. 그와 동시에 나는 외마디 욕을 뱉곤 한 쪽 여자를 밀치고 저 멀리 뛰어 도망갔다. 도망가는 저 뒤로 그들이 뭐라고 소리치는 것이 들렸다. 물론 욕이겠지만 못 알아들어서 별 타격은 없었다. 프랑스어의 장점은 발음이 부드럽다는 것이다. 욕마저도 부드럽다.

구글 검색으로도 쉽게 볼 수 있는 에펠탑과 개선문, 모나리자를 굳이 여기까지 와서 보는 대신 여기에서밖에 체험해 보지 못하는 것을 경험해 보고 싶었다. 운이 좋은지 아무 손해 없이 프랑스식 코스요리, 파리 거리 걷기, 심지어 소매치기까지 직접 경험해볼 수 있는 것 모두를 파리에 떨어진 지 한나절 만에 모두 경험했다. 그나저나 마흔여 시간 동안 씻지도, 제대로 자지도 못해 추레했던 나에게 접근한 것을 보면 이 업계도 요즘 겨울이라 그런지 불황인가 보다. 수염도 덥수룩해서 동종업계 사람이라 착각할 만도 했는데….

너무 여유를 부리며 걸었는지 노트르담을 한 바퀴 돌고 시계를 보니 한 시간 정도밖에 남아있지 않았다. 세느강 다리를 건너며 맞은편의 소매치기들을 흘끗 보았다. 또 한번 허탕을 치는 것이 보였다. 눈이라도 마주쳤으면 한번 째려봐 주는 건데 아쉽게도 그런 일은 일어나지 않았다.

괜스레 마음이 급해 택시를 잡아탔다. 택시운전사는 알제리 계로 영어가 잘 통하고 유머러스한 사람이었다. 어디서 왔냐는 말에 Korea라고 답한 다음 뒤늦게 South를 덧붙이자 웃으면서 Mad man Kim과 닮지 않아서 북한인이 아닌 것을 알았다고 말해준다. 파리에는 일방통행이 많아 왔던 길을 완전히 똑같이 되돌아가지는 않았지만 얼추 비슷한 길로 돌아갔다. 오면서 보았던 큰 성당 하나가 다빈치 코드에 나왔던 생 쉴피스 성당이라고 말해준다. 알았으면 오는 길에 한번 들어가 봤을 것을. 아쉬운 생각이 들었다. 역시 모르는 것이 약일 때가 있다. 그래도 고마운 택시운전사 덕분에 나는 생 쉴피스 성당을 가본 여행자 칭호를 얻을 수 있었다. 안까지는 못 들어가 봤지만 아무래도 상관없다. 콜로세움에서 사자랑 싸우거나, 싸우는 것을 봐야지만 콜로세움에 다녀온 것이 아니니까.

택시를 타고 역으로 가며 파리의 거리에 대해 느낀 점에 대해 이야기를 했다. 신나게 얘기를 하는 내 모습을 보고 'Typical'한 파리에서 그런 것들을 느꼈냐며 재미있어 했다. 대학교에 처음 입학했을 무렵 고려대 건물들을 보며 하루하루 감탄했던 기억이 난다. 하지만 그 설렘은 두 달이 채 지나지 않아 무너지고 말았다. 호그와트를 닮은 외관에 고그와트라고도 불린다는 교양관은 그저 '사고와 표현' 수업을 듣는 곳일 뿐이고, 유럽의 어느 기차역처럼 고풍스럽게 생긴 문과대 서관은 수업을 들을 때 길을 찾기 힘든 건물로 전락하고 말았다. 하지만 입학한 지 어느덧 6년 가까이 지난 요즘도 가끔, 아주 가끔 고려대 건물에 감동할 때가 있다. 이 티피컬한 파리의 택시운전사 아저씨도 때로는 그런 경험을 할 때가 있지 않을까.

한국에 돌아가면 홍세화 씨의 『나는 빠리의 택시운전사』를 읽어야겠다고 생각했다. 이 책은 홍세화 씨가 망명 도중 직접 택시운전사를 하면서 느낀 점을 다룬 책이다. 구로구를 작전지역으로 하는 부대의 대대장 운전병을 한 나는 전역한 지 2년이 훌쩍 넘었는데도 아직도 구로구 전역을 다 꿰고 있다. 고작 21개월도 안 되는 짧은 시간 동안 구로구를 운전하고 다녔는데도 구로구는 내게 무척이나 티피컬한 동네가 되었다. 나도 그럴진대 파리의 택시운전사씩이나 되는 분께는 얼마나 파리가 티피컬할지, 그리고 그분은 그 속에서 어떤 경험들과 어떤 생각을 하셨을지가 궁금하다.

　10여 분 간의 택시 여행. 한국의 택시 요금을 생각하고 5유로짜리를 손에 쥐고 있었다. 그런데 요금은 할증이라도 붙은 듯 올라 내가 내릴 때쯤 미터기는 8유로 80센트를 나타내고 있었다. 급하게 지갑을 열어 5유로 지폐를 한 장 더 꺼내 10유로를 택시 기사에게 건넸다. 그리고 멋있게 한 마디 덧붙였다. Keep the change. 1유로 20센트면 역 화장실을 한번 이용하고도 40센트가 남는 큰 돈이었지만 나에게 생 쉴피스 성당을 다녀온, 하마터면 묻혀버릴 뻔했던 경험을 일깨워 준 데다 티피컬한 파리를 간접 경험시켜 준 데에 대한 답례였다. 파리의 택시운전사는 프랑스 입국 후 본 중에서 제일 환한 미소로 답해 주었다.

　이제 파리는 내게 비싼 화장실과 맛있는 에스까르고, 멋있는 투시원근법을 실생활에서 티피컬하게 볼 수 있는 곳, 부드러운 욕을 하는 집시 소녀들의 암모니아 냄새와 택시운전사의 환한 미소의 도시로 남게 되겠지. 파리에 온 지 9시간 만에 파리를 떠난다. 짧은 시간이었지만 많은 것을 남겼다. 오랫동안 잊고 있던 여행의 즐거움이 슬슬 되살아나고 있다. 행복하다.

테린.
아니 파테 이야기

이른 새벽에 목이 말라 일어난 김에 물을 마시고 발코니로 나갔
다. 밤하늘엔 별이 총총 박혀 있고 호젓한 가로등 하나가 동쪽하
늘 동이 터오는 산 밑에 서있다. 동이 터오는 산 너머로는 아직 빛
을 잃지 않은 샛별이 보인다. 다시 들어와 눈을 감고 여독을 푼다.
한국을 떠나 청두를 경유하여 파리에 내려서 다시 TGV를 타고 가
톨릭 성지라는 루르드까지 무려 50시간 동안 제대로 된 휴식을 취
하지 못한 덕에 잠이 무척 달았다.

　알람이 아닌 새소리에 잠을 깨 다시 발코니로 나갔다. 저 멀리
깎아지른 듯한 설산이 보이고 앞 건물 지붕에는 새가 앉아 있다.
발코니에서 시원한 바람을 느끼고 들어와 아래층으로 아침을 먹
으러 내려가면 바게뜨, 크루아상, 정물화에나 나올 것같이 생긴

: 완벽했던 그 날 아침

사과가 지극히 유럽 가정집스러운 테이블 위에 놓여 있고 갓 내린 뜨거운 커피에 우유를 탈 것인지 물어보는 백발의 주인아저씨가 있다. 느지막한 아침을 먹고 들어오면 창문 밖으로 들어오는 햇살이 침대를 비춘다. 한국에서 꿈꿨던 유럽 시골의 모습이다. 그래, 이 정도는 편견이 맞아떨어져야 여행하는 재미가 있지.

아침을 먹고 좀 더 자다가 루르드 성지로 나가 한 바퀴 휘 돌았다. 세계 3대 성모 성지라는 어마어마한 이름과는 달리 한적하고 조용하다. 매 시간 정각이 되면 성당 종탑에서는 어렸을 적 자주 듣던 성가의 멜로디가 종소리로 울린다. 그리고 한 곳에서는 모여서 각 나라 언어로 기도하는 이들의 소리가 들린다. 사뭇 경건해진다. 나는 가톨릭 모태신앙이지만 대학생이 된 이후 성당에 잘

지극히 가정집스럽던 그곳에서의 식사

나가지 않았다. 산티아고 순롓길을 걷기로 했지만 딱히 그것이 종교적인 동기에서 나온 선택도 아니었다. 그럼에도 불구하고 어떤 알 수 없는 이유에 이끌려 나는 이곳 루르드에 왔다. 성지를 한 바퀴 도니 허기가 진다. 점심을 먹으러 다시 숙소로 돌아간다.

자주 가지는 못하지만 마음만으로는 이미 VVIP를 찍은 한 와인바가 있다. 임기학 셰프가 운영하는 도산공원의 라 꺄브 뒤 꼬숑이 바로 그곳이다. 샤퀴테리 전문 와인바인데, 샤퀴테리란 소시지나 햄 등의 가공육을 말한다.

군 시절 사회를 그리워하며 에스콰이어지를 자주 읽었다. 멋진 옷을 입은 사람들이 멋진 차를 타고 멋진 곳에 가는, 그야말로 군인의 허영에 딱 맞는 잡지였다. 전역 후 그러한 옷을 입지도, 그러한 차를 타지도, 그 사람들처럼 잘생겨지지도 못했지만 다행히 시급은 군인 시절보다 껑충 올라 적어도 그 중 몇몇 장소들에는 도전해 볼 수 있게 되었다. 라 꺄브 뒤 꼬숑은 그 중 꼭 가봐야지 하던 곳 중 하나였다.

에스콰이어지에서는 라 꺄브 뒤 꼬숑의 우설 테린에 대해 집중적으로 다루었다. 그때까진 우설을 먹어보지도, 테린이 무엇인지도 몰랐다. 다만 어린 시절 어디서 주워들은 바로 우설이 대단히 맛있는 부위라고 해서 한번 가보고 싶은 생각이 들었나 보다. 복학 후 첫 과외비를 손에 들고 설레는 첫 방문을 했다. 테린과의 첫 만남이었다. 우설과 푸아그라를 겹겹이 쌓아올린 우설 테린은 크레페 케이크를 떠올리게 했다.

테린의 비주얼을 처음 마주하면 드는 생각은 다 비슷할 것이다. 이게 뭐더냐 싶겠지. 군필자라면 고급 전투식량에 나오는 파운드 케이크를 떠올릴지도 모른다. 아니면 순대에 딸려 나오는 돼지 간을 떠올릴 사람도 많다. 어쩌면 스팸을 떠올리는 사람도 있겠다. 하지만 맛을 보면 이건 지금껏 먹어보지 못했던 그 무언가라는 생각을 들게 한다. 모르는 맛, 새로운 맛이다. 비유하자면 고기 맛이 나는 잼이라고 할 수 있다.

테린과의 첫 만남 이후로 두어 번 더 방문을 했지만 올해는 와인 바보다는 갓포에 꽂힌 덕에 늘 라 꺄브 뒤 꼬숑에 가고 싶단 생각만 하고 한 번도 걸음을 못 했다. 그런데 내 생각을 숙소 주인아저씨가 읽기라도 한 듯 오늘 내 눈앞에 테린이 나타났다. "테린?"

: 문제의 테린

하고 아는 척하며 반가움을 표시했다. 주인아저씨는 테린이 아닌 파테라고 했다. 한 입 떠 먹어봤다. 테린이 맞았다. 말을 꺼내자마자 다시 한 번 파테라고 수정되었다. 빵에 발라 먹어봤다. 테린이 맞았다. 그것도 아주 훌륭한 테린이었다. 그런데 주인아저씨는 완고하셨다. 세 번째로 수정을 당했다.

현지인이 '파테라는데 파테겠지' 하며 찾아보니 파테 앙 테린이다. 테린은 요리 이름이기도 하지만 파테 앙 테린을 만들 때 쓰는 그릇 이름이기도 하단다. 그리고 프랑스에서는 파테와 테린을 구분 없이 쓴다고 한다. 굳이 따지자면 달고나와 떼기 정도의 관계인 듯하다. 하지만 나도 오늘부터 파테라고 부르기로 했다. 적어도 어디 가서 파테인지 테린인지 논쟁이 생겼을 때 현지인 찬스가 하나 정도 생긴 셈이다. "루르드의 루피노 아저씨가 파테라고 했다."라고. 탕수육 찍먹 부먹 논쟁에서 이연복 셰프가 다 필요 없고 자기가 만든 게 제일 맛있다고 했을 때만큼 든든하다.

점심에 전채 요리로 파테가 나와서 무척 반가웠는데 주인아저씨에게 격하게 반가움을 표시한 덕이었는지 저녁 식탁에도 또 올랐다. 심지어 한 덩이가 늘었다. 아저씨는 파테에 엄청난 자부심을 가지고 계셨는데 내 반응이 제대로 그 자부심을 건드린 모양이다. 본인 어머니의 레시피대로 직접 만들었고, 이제는 그 따님이 명맥을 잇고 있다고 한다. 아마 이 레시피는 언젠가 그 따님의 외동딸로 이어지겠지. 이 호텔이 지어진 지 거의 100년이 되었지만 아저씨의 연세를 생각하면 그보다 훨씬 오래 전부터 내려오던 유서 깊은 레시피이다. 한국으로 따지면 종갓집 오백년 김치 양념 배합법 정도 되려나.

『카메라와 부엌칼을 든 남자의 유럽음식 방랑기』라는 책을 쓴 장준우 기자의 말에 따르면, 프랑스인의 피는 와인으로 살은 파테로 이루어졌다고 할 정도로 프랑스인들은 파테를 좋아한다고 한다. 즉, 파테는 프랑스인들의 소울 푸드이다. 그러니까 나는 100년이 넘은 레시피로 만든 프랑스인의 소울 푸드를 먹고 있었다.

어제는 프랑스 하면 누구든 떠올릴 만한 에스까르고를 먹었다. 하지만 오늘은 프랑스인의 생활 속에 녹아든 파테를 접했다. 그리고 바게뜨는 너무 당연하다는 듯 매일 끼니 때마다 열심히 버터, 잼, 파테 등을 발라가며 먹고 있다. 모든 프랑스인이 매일 프랑스식 요리를 먹고 살진 않을 것이다. 거리에 나가면 이탈리아어 형식의 이름을 가진 피자집과 스시 바가 가득한데다 당장 나만 봐도 한국에서 제대로 된 한식은 하루 내지 이틀에 한 번씩 먹었으니까.

하지만 프랑스에 온 이방인 입장에서는 어딜 가나 먹을 수 있는 스테이크 같은 음식보다는 그래도 그 나라 음식을 먹어보고 싶어진다. 그런 의미에서 이번 여행은 정말 계획대로 되고 있다. 팔굽혀펴기라도 하고 먹어야 하나 생각을 하게 만들었던 점심의 닭가슴살을 제외한다면. 닭가슴살에서는 하나스퀘어 헬스장의 맛이 났다.

이곳 루르드엔 내일 하루 더 머문 후 모레에는 새로운 곳으로 떠난다. 바욘이라는 바다와 가까운 도시에서 다시 2박을 한다. 바욘에서는 본격적으로 걸을 때 필요한 준비물들을 사고, 바다도 잠깐 보고 올 생각이다. 하루에 평균 25km 이상을 걸어야 하는 기간의 시작일이 오늘도 이렇게 하루 더 가까이 다가왔다.

그래,
밤의 여왕은
악역이었지

시차 적응이 덜 되었는지 잠을 자다 중간에 깼다. 시계를 잠깐 보고 다시 잠을 청했지만 한번 깬 잠이 다시 오지는 않았다. 한국에서는 중간에 잠을 깼다는 사실도 모른 채 잠이 들었을 텐데. 몇 번 뒤척이다 파테에 대한 글을 쓰다 만 것이 떠올라 계속 쓰기로 했다. 이왕 깬 잠을 더 확실하게 깨기 위해 발코니로 나갔다.

어느 나라든 그러겠지만 시골의 밤은 평화롭다. 글을 쓰다 말고 테라스에서 담배를 한 대 태우며 생각을 다듬던 중에 저 멀리서 들려오는 새 소리를 듣게 되었다. 시간은 새벽 2시 반 정도였다. 한국의 도시에서 이 시간에 우는 것은 몇 없다. 한여름의 매미거나, 구급차거나, 술에 잔뜩 취해 감정이 북받쳐 오른 누군가겠지.

사실 도시에서 듣기 어려울 뿐이지 한국에도 조금만 교외로 나가면 밤에 우는 새 소리를 들을 수 있다. 소쩍새나 뻐꾸기는 한국에서도 볼 수 있는 밤에 우는 새들이다. 밤에 우는 소쩍새는 심심찮게 시나 소설에서 한의 정서와 연관되어 드러난다. 초등학교 1학년 때 가족과 함께 휴가지 수영장 옆에서 밤에 우는 처량한 뻐꾸기 소리를 들어본 기억도 난다. 어머니와 꽤 진지한 대화를 하던 중이었던 것으로 기억한다. 인상 깊은 밤이었기에 일기를 썼고, 그때 그 기억은 그대로 내 첫 책 제목의 모티브가 되었다.

밤에 우는 새 소리를 처음으로 인상 깊게 들었던 그때 그 장소

: 나이팅게일 소리, 홀로 적막 속 가득했다.

에서 이곳은 약 9000km 떨어져 있다. 9000km는 새 소리를 바꾸기에 충분한 거리다. 아닌게 아니라 지금 들리는 소리는 한국에서는 못 들어본 새 소리다. 밤에 우는 새로 유명한 나이팅게일이지 않을까 생각해 본다. 나이팅게일은 밤에만 우는 새가 아니라 낮밤 구분 없이 울어제끼는 새인데 밤에 특히 그 소리가 잘 들려 나이팅게일이라고 불린단다. 다 똑같은 종의 울음소리인지는 모르겠지만 울음소리가 다양하고 밝다. 그럼에도 불구하고 밤에 운다는 사실이 나름 어필을 했는지 유럽 문학을 읽어보면 나이팅게일 역시 슬픔의 상징으로 많이 쓰인다. 그리고 시인을 나타내는 상징으로도 쓰인다고 하는데 나이팅게일의 창의적일 정도로 다양한 울음소리와 때를 가리지 않고 울어대는 특성 때문이라고 한다.

글을 쓰는 것을 멈추고 잠깐 귀를 기울였다. 나이팅게일은 한국어로 밤꾀꼬리라고 할 정도로 울음소리가 예쁘다. 설핏 들으면 어떤 울음소리는 오페라 마술피리 중 밤의 여왕 아리아 같기도 하다. 나이팅게일이 모차르트에게 영향을 모래알만큼이라도 준 것이 분명하다. 여러 마리가 동시에 이곳저곳에서 우는 것을 듣고 있노라면 정신없이 펼쳐지는 브로드웨이 뮤지컬의 한 장면 속에 들어와 있는 착각을 유발한다.

여행을 오니 모든 것이 새로워서 글을 쓰고 싶은 욕구가 샘솟고 시간도 넉넉해서 생각이 떠오를 때면 아무 때나 글을 쓰게 된다. 마치 밤낮없이 울어대는 나이팅게일 같다. 시차적응이 덜 된 덕분에 또 한 번 새로운 경험을 하고 글을 쓴다. 눈이 열리고 귀가 트였다. 이곳 사람들에게는 이마저도 일상의 일부분일 뿐이겠지만 낯선 이방인은 그들의 일상 속에서 낮에는 낮대로, 밤에는 밤대로 신비로움을 느끼게 된다.

앵글로색슨어로 나이팅게일은 nightsongstress라던 설명을 읽은 적이 있다. 이렇게 아름다운 목소리를 지닌 나이팅게일에 왜 '밤에 우는 스트레스'라는 이름이 붙었는지 처음에는 이해가 잘 안 되었는데 이제는 슬슬 이해가 가고 있다. 사실 이 글을 쓰게 된 계기는 파테에 대한 글을 새벽 3시 반쯤 마무리 지은 후 잠을 자려고 하는데 나이팅게일 소리에 잠을 못 이뤄서이다. 여행 와서 귀가 트인 것에 대한 첫 부작용이다. 새벽 3시 30분, 파테에 대해 쓰던 글을 마저 마무리했을 때까지 나이팅게일 소리는 마치 천사의 음악처럼 들렸다. 지금은 전사의 음악 같다. 천 년 전 앵글로색슨족의 분노에 깊이 공감을 하게 된다.

글을 쓰다 보니 시계는 벌써 새벽 5시 30분을 가리키고 있다. 1시간 반 후에는 아침을 먹으러 가야 하기에 더 잠을 청해 볼 수도 없는 노릇이라 테라스에서 그저 나이팅게일의 노래를 듣고 있다. 이렇게 셋째 날을 시작한다.

L'aube de Bayonne

일어나 보니 시계는 오늘도 3시 53분을 가리키고 있었다. 하지만 일찍 잔 덕에 몸은 피곤하지 않았다. 옆방에서 주인 부부의 코고는 소리가 들렸다. 방음은 이곳에서도 완벽하지 않다. 평소 코골이가 심한 터라 전날 나 때문에 잠을 설쳤을 것이 분명한 주인 부부에게 괜스레 미안했다. 이제야 찾았을 그들의 안식을 방해하지 않고 싶어 서둘러서 조용히 짐을 챙기고 나왔다.

새벽 5시 30분. 길가에는 아직 아무도 없다. 어제 바욘역에서 숙소까지 걸어오며 건너왔던 아두흐 강변을 향해 걷기 시작했다. 손에는 루르드 루피노 아저씨가 싸주신 바게뜨 샌드위치가 들려 있다.

새벽에 깨어나는 도시는 분명 낮에도 존재했겠지만 볼 수 없

었던 도시의 면모를 보여준다. 사람의 그런 모습도 새벽에 나타
난다. 아무런 화장기 없이, 좋은 옷도, 왁스나 헤어스프레이도 없
이 부스스한 모습. 그것이 원초적 인간들의 일상적인 모습이었다.

강은 북쪽에 있다. 바욘 시내 전체를 지나가는 강이니 구글 지
도도 없이 무조건 북쪽이라고 생각되는 곳으로 걸었다. 40분쯤 걸
었을까. 승객이 없는 버스 한 대가 옆을 스쳐 지나갔다. 버스의 목
적은 승객을 태우는 데에 있다. 고로 텅 빈 버스는 지구에 아무 의
미 없이 탄소를 흩뿌릴 뿐이다. 하지만 어디엔가 있을 의미를 찾
기 위해 버스는 오늘 새벽도 달리고 있는 것이다.

: 강변에서 조용히 새벽을 기다렸다.

인생에서 굳이 의미를 찾기 위해 발버둥질할 필요가 없다는 반항적인 생각을 했다. 죽지 않는 이상 우리는 빈 버스처럼 달려갈 것이고 적어도 한 정류장에서는 손님이 올라타게 되겠지. 하지만 공터에 덩그러니 서 있는 버스에 손님이 올라탈 리 없듯 우리는 적어도 달려야 한다. 나 역시도 쉴 새 없이 달리다 보니 어느덧 이곳 바욘까지 오게 되었고 바욘의 새벽을 달리다 보니 아두흐 강에 다다랐다. 오늘 새벽 기행의 목적지이다.

새벽 6시 16분. 앉을 만한 벤치를 찾았지만 어제 내린 비로 인해 젖어 있었다. 가방에 비닐봉지를 쟁여둔 것이 다행이었다. 비닐봉지를 꺼내 벤치에 앉아 강 건너편의 또 다른 바욘을 바라보았다. 그러자 나는 맞은편의 낮고 긴 아파트 하나와 마주하게 되

: 아쉽게도 일출은 없었다.

었다. 뒤로는 루르드에서의 단잠을 방해했던 나이팅게일의 노래가 들렸다. 루르드가 남겼던 인상이 워낙 좋았던 터라 새삼스레 반가웠다.

도시가 깨어나는 것을 보려면 아파트를 바라보는 것만한 일이 없다. 아파트의 꺼진 불이 하나둘씩 들어올 때 도시는 뒤척이며 잠을 깨기 시작한다. 한국보다 해가 늦게 뜨는 만큼이나 유럽의 도시는 늦게 일어난다. 그러나 이미 몇 채에는 불이 들어와 있는 것이 보인다. 조금 전 스쳐 지나간 버스기사처럼 도시를 처음으로 깨우는 사람들일 테다. 이를 필두로 하나둘씩 불이 들어오고 금세 어두웠던 아파트가 환해진다.

아파트가 환해지는 것을 바라보고 있으니 어느새 나올 때 고요

: 바욘이 깨어났다.

했던 도시는 여러 소리로 가득하고 가로등만이 지켰던 다리 위로는 차들이 지나다니고 있었다. 아무도 없었던 내 앞으로도 조깅하는 사람들과 자전거 몇 대가 스친다.

동쪽 하늘도 슬슬 푸른 기를 머금기 시작한다. 이대로 일출을 보겠구나 싶었다. 하지만 해가 뜨는 듯하더니 이윽고 천둥이 울리며 빗방울이 톡톡 머리 위로 떨어졌다. 우산은 없다. 부지런한 주인이 운영하는 카페든, 수퍼마켓이든, 그 어디로든 들어가야만 한다. 서둘러 자리를 떴다.

강변에서 시내로 접어들자 시외버스 승차장이 보였다. 캐리어를 세워두고 담배를 태우고 있는 이들이 있었다. 몇몇은 근처 브루어리 옥외에 자리를 잡고 앉아 아침부터 와인 한 잔을 곁들인 대화를 나누고, 몇몇은 커피잔을 들었다. 옆에 홀로 앉아 프랑스인처럼 와인을 즐겨볼까도 했지만 성당으로 향해 아침 미사를 참례하기로 했다. 시계는 8시 정각을 가리키고 있다. 그리고 잠자던 건물들에서는 화장을 하고 옷을 갖춰입고 왁스를 바른 사람들이 드디어 줄지어 나온다. 아, 바욘이 깨어났다.

미슐랭 레스토랑에서의
백일몽

영양분 섭취는 생명 유지에 있어 필수적 수단이다. 하지만 식자원이 풍부해지고, 대다수가 음식 섭취로 인해 곤란을 겪지 않게 되는 사치스러운 시기가 되면 인간은 섭취 방식에서 한 발짝 나아간다. 바로 탐미의 단계이다.

프랑스의 미식은 유네스코 세계 무형 문화유산에 등재됐을 정도지만 사실 프랑스가 미식의 나라가 된 것은 오래지 않은 일이다. 본디 프랑스의 뿌리가 되는 민족은 골족과 프랑크족이다. 골족은 특별한 요리법이랄 것을 가지지 않았고, 그 이후 이주해 온 프랑크족 역시 그러하였다. 앙리 2세 때 그 당시 미식의 나라였던 이탈리아 출신 왕비가 셰프들과 각종 조리법, 재료들을 본국에서 도입한 것이 그 시작이다. 원래 로마시대부터 미식의 나라는 프랑스가 아닌 이탈리아였다. 그 이후 루이 왕정을 거치며 루이 14세의 전국 조리법 집대성과 천혜의 자연을 통해 프랑스 요리는 꾸준히 발전해 왔고, 그것이 현대에 와서는 세계적인 미식의 나라를 만들었다.

탐미의 끝은 의미 부여이다. 예술에서 이는 잘 나타난다. 마르셀 뒤샹이 만일 르네상스 시대에 살았고, 그 시대에 예술작품이랍시고 양변기를 하나 가져다 놓았다면 아마 그는 분노한 동시대 예술가들에게 양변기로 뚝배기가 깨져 사망했을 것이다. 그러나 현대에 들어서 양변기에다 의미를 부여함으로써 그는 '샘'이라는 당시는 물론 지금도 충격적인 작품을 만들었다.

오늘 나름 미슐랭 원스타를 받은 식당에서 큰 마음 먹고 셰프 스페셜 코스 식사를 했다. 트러플 수프에서 와인 초이스부터 마지막 디저트까지 완벽한 식사였다. 적어도 메인 디쉬까지는 아무 생각 없이 그저 뜯고 맛보고 즐겼다. 셰프님이 그래픽 디자이너를 겸하는 분이어서 그런지 플레이팅도 훌륭했다.

뇌에 경종이 울린 건 그 다음, 디저트가 나왔을 때였다. 디저트는 거대한 나무와 같았다. 밤으로 만든 무언가와 그 위에 올려진 유자 소르베는 굵은 기둥이었고 설탕 과자로 넓게 뻗은 줄기와 이파리들, 그리고 귤 알맹이들로 낙엽을 그린 듯하였다. 맛있게 먹으며 흘끗 보니 접시 바닥에 소스로 그려진 어떤 무늬가 보였다. 나이테였다. 뭔가를 찍어먹는 것인가 싶어 포크로 긁어보았지만 딱딱하게 말라붙어 긁히지 않았다. 마치 벌목 후 덩그러니 남은

: 마치 한 그루의 떡갈나무 같았던

나무 둥치 같았다. 부러진 설탕 과자와 가니쉬로 들어간 식용 이
파리가 사실감을 더해 주었다. 대단한 연출력이라 생각했다.

　다음으로는 안에 누텔라와 크림이 차있는 조그만 과자 하나와
에스프레소가 나왔다. 그랬으면 안 됐는데 몹쓸 상상력이 불을 뿜
었다. (사실 나이테를 발견한 순간부터 브레이크는 고장나 있었다.) 그 조그
만 과자는 흡사 도토리를 생각나게 했다. (정말로, 브레이크가 고장났
다면 이때 사이드 브레이크를 당겨서라도 멈췄어야 했다.) 거대한 나무, 벌목
된 후의 나무 둥치, 하지만 남아있는 하나의 씨앗. 나무가 쓰러져
도 희망은 남는다는 메시지를 전달해 주는 것 같았다. 아니면 자
연은 순환하니까 너도 순환해서 이곳에 다시 오라는 Come again

식의 마케팅 메시지이거나.

이어서 앞서 먹은 요리에도 생각이 미쳤다.(이랬으면 정말 안 됐다.) 프랑스 코스 요리는 수프, 전채 요리, 해산물이나 육고기의 메인 디쉬, 그리고 디저트로 구성됨은 중학교 기가 시간을 통해 알고 있었다. 하지만 왜 굳이 버섯 수프를 주었을까에 대해 사뭇 진지 해졌다. 버섯은 균류이고, 균류는 지구의 초기 생물 중 하나이다. 물론 버섯이 초기 지구의 첫 생물은 아닐 테지만 버섯 말고 아메 바를 내놓을 수는 없으니까 버섯을 내놓았을 것이다. 그리고 생물 은 바다에서 번성하다 육상으로 올라왔다.

그렇다. 셰프의 숨겨진 의중을 파악했다(고 생각했다). 이 식사는 지구이다. 지구는 번성하다 인간에 의해 파괴되었지만, 아주 작은 열매 하나만 남아 있다면 희망이 있다는 장엄한 함의였다. 이쯤 되니 디저트로 나온 도토리 모양의 과자를 먹어야 하나 고민이 되 었다. 마지막 희망을 없앨 순 없으니 말이다. 하지만 이번만은 독 실한 가톨릭 신자로 밀알은 썩어야 산다는 성경의 말씀을 따르기 로 했다. 맛있었다.

현대미술은 그 의중을 파악해야 감상자에게 의미가 있다. 캠벨 수프캔이 예술이 될 수 있는 이유는 감상자가 앤디 워홀의 의중에 공감했기 때문이다. 충실한 고객이 되었다는 보람에 뿌듯했다. 나 가면서 셰프님께 느낀 점을 말하고 기뻐하는 그의 모습을 보고 싶 었다. 만족스럽게 계산서를 받아들고 셰프에게 물었다. 오늘 코스 에 무슨 의미라도 있냐고. 셰프는 대답했다. 아니라고. 무슨 불편한 점이라도 있었냐고. 다시 물었다. 적어도 디저트에는 혹시 함의가 없냐고. 그는 대답했다. 자기가 그래픽 디자이너를 취미로하고 있어 플레이팅에 신경을 많이 쓴다고. 숨겨진 뜻은 없다고.

쥐구멍에라도 숨고 싶었다. 당혹스러운 빛이 얼굴을 스쳤는지 셰프가 다시 물었다. 왜 그러냐고. 당당하게 설명했지만 뒤로 가면 갈수록 목소리가 점점 작아지는 것은 어쩔 수 없었다. 셰프는 호탕하게 웃으며 고맙다고 "트레 비앙"을 외쳤다.

그랬다. 역시 꿈보다 해몽이었다. 셰프의 의중과 딱 맞아떨어졌다면 좋았겠지만 확실히 요리는 맛있었다. 지원이에게 이 이야기를 했더니 적어도 선배는 그 식사에서 그런 것을 느꼈으면 된 거란다. 미슐랭 원스타지만 쓰리스타급 식사를 한 것이란다. 참 현명한 후배다. 깊이 공감하는 바다.

마지막 에스프레소 한 모금을 마치고, 4유로를 팁으로 올려두고 나왔다. 요리로는 이미 모나리자를 그리고 있는 이 빼어난 셰프가 언젠가는 작품에 훌륭한 의미를 실어 꼭 미슐랭 쓰리스타를 받기를 바라면서. 그리고 다시 그 셰프의 요리를 맛볼 수 있길 바라면서.

2부

까미노에서

살아 있다는
것은

오르막이 있으면 내리막이 있기 마련이다. 나름 인생의 진리를 담고 있다 말하는 흔한 클리셰이다. 하지만 사실 별 도움이 안 되는 말이기도 하다. 인생에는 분명히 오르막과 내리막이 있지만, 대체 언제까지 이 길을 올라야 하고 어디서부터가 내리막인지를 알려주는 이정표 따위는 없다. 내 앞을 가로막은 그 피레네 산맥처럼 말이다.

산뜻하게 첫날을 시작했다. 서로 통성명도 안 한 한국분과 함께했다. 동 트기 전부터 일찌감치 준비해 땀을 뻘뻘 흘리며 소똥 냄새가 물씬 풍기는 길을 걸었다. 한 시간 반을 걸으니 몇 개의 크고 작은 언덕을 넘었다. 그때는 그것이 산인 줄로만 알았다. 그러자 조그만 상가가 보였고, 그 상가가 딱 프랑스와 스페인의 국경에

위치한 것을 확인하고는 드디어 국경을 넘었다며 아이처럼 좋아
했다. 흥분에 찬 발걸음은 날 듯이 빨라져 열한 시가 채 되기도 전
에 중간지점인 발카로스에 다다랐다. 발카로스로 오르는 길이 힘
들긴 했지만 그래도 나름 정석적인 트래킹이었다. 오르막이 있으
면 그 끝에는 으레 기대를 저버리지 않는 내리막이 있었다. 그 사
실이 보장된다고 하면 그 누구든 오르막을 오를 수 있다.

　발카로스에서 빵과 소시용, 과일 몇 개로 점심을 때웠다. 진짜
순례자 같다며 서로 보며 웃었다. 물을 채우니 시간은 열한 시 반
이 되었다. 오전에 14km를 오는데 세 시간밖에 안 걸렸으니 넉넉
잡아 세 시에는 오늘의 목적지에 도착하겠다는 여유로운 생각을

: 발카로스. 뷰 하나만큼은 장관이었다.

가졌다. 그리고 아스팔트 위로 펼쳐진 오르막길을 동행과 함께 천천히 걸어 올라가기 시작했다.

걷다 보니 발카로스에서 만난 한 할아버지가 보였다. 그때는 보행기 대신 유모차를 끌고 강아지를 산책시키러 나온 동네 할아버지인 줄로만 알았다. 사실 마을에서 만났을 때 본인 입으로 산티아고 순롓길을 걷는다는 말을 들었더라도 믿진 않았을 것이다. 하지만 그는 걷고 있었다. 유모차를 개조한 듯 보이는 수레에 짐을 가득 싣고, 강아지 한 마리를 데리고, 시시포스가 돌덩이를 밀어 올리듯 한 발 한 발 힘겹게 내딛고 있었다.

나는 체력이 좋은 편이 아니다. 좋았던 인생의 리즈 시절도 있

: 시시포스 할아버지

었지만 그 이후 나태한 삶으로 인해 요즘 체력은 거의 인생의 바닥을 찍었다. 하지만 그럼에도 불구하고 어떻게든 동행을 따라잡으려 발악을 했다. 그러다 보니 깎아지른 듯한 절벽에 새털처럼 붙어 있는 산양들과 파도처럼 넘실대는 산맥 등 많은 것들을 놓치고 있었다. 이래서야 한국에서 피티를 받으며 헬스트레이너 앞에서 땀을 뻘뻘 흘리는 것과 다를 바가 없다. 시시포스처럼 수레를 밀어올리는 저 할아버지는 자신의 나이가 어떻든, 누가 자기를 앞서가든 신경쓰지 않았다. 그저 오늘의 목표를 향해 자신의 방식대로 걸을 뿐이었다. 내 방식을 찾기로 했다. 동행을 먼저 보내고 천천히 한 발 한 발 걷기 시작했다. 자연을 즐기고, 오래된 생각을 새 생각으로 바꿔가며.

씨발.

삼십여 분 후 나는 욕을 곱씹으며 걷게 되었다. 끝없는 피레네의 오르막을 오르기 시작했다. 고려대 법대 후문에는 기숙사로 올라가는 오르막 도로가 있다. 새내기 적에 어느 정도 오르고 더 이상 오르막이 안 보이길래 이제 내리막인가 보다 생각을 한 적이 있다. 하지만 길을 꺾으니 그보다 더욱 험한 오르막길이 있어 당황했던 기억이 난다. 그래. 오르막이 있으면 내리막도 있다. 대서양에서 나와 미 대륙을 횡단한다 해도 결국 태평양에서 내리막을 걸을 것이고 태백산맥을 종단한다 해도 끝은 부산 앞바다다. 피레네도 예외는 아니다. 내리막이 보였다. 이젠 끝인가 하고 내리막을 신나게 내려갔다. 그런데 갑자기 길은 차도 아래 산길로 뻗기 시작한다. 계곡의 개울물을 밟은 후에야 다시 오르막이 시작되어 차도 높이까지 이어진다. 암, 당연히 내리막이 있으면 오르막도 있는 법이다. 하지만 그 누구도 오르막이 언제까지 계속될 것인지를 말해주지 않는다. 오르고 오르고 또 오르면 언젠가는 내리막에 닿겠지만 지금 당장 오르막을 오르고 있는 사람에게 필요한 것은 오르막이 있으면 내리막이 있다는 뻔한 한 마디가 아니다.

점심 이전의 신바람 나는 발걸음, 산맥에서 불어오는 시원한 바람, 그리고 굽이치는 산맥들의 절경이 만나면 무엇이 될까? 답

: 기나긴 오르막의 끝

은 체력 안배 실패와 칼날 같은 산바람, 그리고 무식하게 꼬불꼬불한 오르막길이 만나 선사하는 체력 고갈이다. 설상가상으로 물조차 떨어졌다. 오르막길은 아직도 내 앞으로 끝없이 이어지는데, 이제는 쉰 걸음마다 걸은 시간만큼씩은 쉬어 주어야 한다. 한 발짝을 걷는 데에는 1초 이상이 걸린다. 이때쯤 오늘의 목적지가 몇 킬로 남았다는 팻말은 희망이라기보다는 절망에 가깝다. 쉰 걸음이면 50미터, 그리고 휴식 시간을 합하면 50미터를 거의 2분에 가는 셈이다. 이렇게 4.8km를 더 가려면 2시간이 훨씬 넘게 남았다. 겨울이라 해는 빨리 지고 바람은 차가워져 갔다. 길도 한번 잘못

: 론세스바예스의 일몰

: 길고 험했던 하루 끝은 평화롭기만 했다.

드는 바람에 얼마 남아있지 않던 체력이 반은 소진된 것 같았다.
칼로리를 채워줄 초콜릿은 있었지만 혹시 모를 상황이 계속 떠올
라 차마 먹지 못했다.

　침낭을 펴고 오늘은 산맥에서 하룻밤을 지새워야 하나 하는 생
각이 거의 현실로 느껴질 때쯤 오르막이 드디어 끝났다. 물론 주
변에는 더 높은 산들이 있었지만 적어도 내가 향하는 방향에는 그
저 내리막, 내리막뿐이었다. 절망의 표지판은 다시 희망의 표지판
으로 변해 있었다.

　해가 뜨기 전에 출발하여 지는 해와 함께 목적지에 도착했다.
마을 전체에 곧 저녁미사 시간임을 알리는 종이 울려 퍼지고 있었

다. 허벅지에는 쥐가 나고, 17kg짜리 배낭을 졌던 어깨와, 이를 받치던 등과 허리에는 감각이 없고, 생장에서 살짝 삔 발목에는 힘이 더 이상 들어가지 않았지만 행복했다. 살아있음을 극렬히 느꼈던 하루였다.

 : 생 장 피에 드 포흐트 → 론세스바예스

가지 않은
길에
대하여

아직 걸은 지 이틀밖에 되지 않았다. 그러나 아침에 일어나면 온 몸이 쑤시는 근육통에도 불구하고 걸을 준비가 되어있음을 느낀다. 배낭 없이 절뚝절뚝 좀비처럼 걷다가도 17kg짜리 배낭을 메면 오히려 걸음걸이가 안정된다. 짐을 다시 싸다 알베르게의 낮은 이층 침대 천장에 머리를 박았다. 오늘 하루 액땜한 셈 쳤다.

아침을 먹고 창문을 열어보니 아직은 깜깜한 바깥에 바로 앞 개울도 안 보일 정도로 안개가 뿌옇다. 이곳 산악지방의 안개를 보고 있자면 왜 서양 공포영화에서 숲속의 밤은 안개가 자욱한지를 알 수 있다. 오늘은 이 안개 속을 뚫고 걸어야 한다.

안 그래도 어두컴컴한데 안개까지 자욱하니 헤드랜턴과 손전등을 동원해야지만 겨우 걸을 수 있었다. 첫날부터 함께했던 135

: 뿌연 안개는 영화의 한 장면 같았다.

번 국도와 나란히 난 숲길을 따라 걷다 아스팔트를 가로질러 숲길
을 통해 걸었다. 그리고 숲길의 끝에는 다시 135번 국도가 있다.
아스팔트로도 편히 걸어올 수 있는 길을 굳이 숲을 가로질러 오게
만드는 것은 단지 안전 때문은 아닐 것이다. 숲을 걸으며 사색과
명상의 시간을 가지라는 배려거나, 그래도 순롓길에 올랐으니 생
고생 한번쯤 해보라는 심술이거나.
   다시 135번 국도와 나란히 걷다 노란 이정표를 따라 옆길로 접
어들었다. 초록색과 노란색으로 각각 표시된 두 갈래 길이 나왔
다. 어느 길로 가든 오답은 없었다. 하지만 나는 선두였기에 선택
을 해야만 했다. 잠시 고민하다 20센트짜리 동전을 던졌다. 앞면

: 전날 내린 비로 길 상태는 엉망이었다.

이면 왼쪽 길, 뒷면이면 오른쪽 길이다. 왼쪽에는 산책로가, 오른쪽에는 국도가 있다. 동전을 던지니 뒷면이 나왔다.

　다시 국도로 올라섰다. 하지만 예상과 달리 국도를 가로질러 다시 숲길로 들어서게 되었고, 숲길은 야트막하지만 경사가 심한 산으로 이어졌다. 작은 탄식이 들렸다. 약 30분간 경사를 타고 나니 진흙밭이 펼쳐졌다. 지난밤의 비로 인해 소똥과 진흙이 버무려져 어디를 밟든 발이 푹푹 들어갔다. 해는 떴지만 아직도 자욱한 안개 때문에 어디가 끝인지, 팜플로냐에 도달하기 전에 과연 이 진흙밭의 끝이 있는지조차 불분명했다. 또 다른 30분을 진흙밭에서 미끄러지고 구르며 앞으로 나아가자 드디어 제대로 된 단단한 길이 나왔다. 잠시 동행들과 쉬었다. 모두들 힘든 길로 인도한 동전에 대해 단단히 짜증이 나있었다. 나 역시 하필이면 뒷면이 나온 동전을 땅바닥에 내팽개치고 싶었다. 하지만 대신 동전을 이정표 위에 가만히 올려놓았다. 하기 힘들었던 선택을 대신 해 준 값이었다.

사실 동전이 정해 준 길 반대편에 어떤 길이 있을지는 아무도 모른다. 까미노를 다시 걸을 일이 있지 않는 이상 영원히 알 수 없을 것이다. 보기 좋은 산책로가 목적지까지 쭉 이어졌을 수도 있지만 얼마 지나지 않아 자갈과 진흙이 가득했을 수도 있고, 첫날처럼 강바닥을 찍고 올라오는 험한 길이었을 수도 있다. 선택하지 않았던 길에 대한 상상은 현재 상황에 따라 변한다. 만일 동전이 정해 준 길이 편한 산책로 혹은 국도였다면 일행들은 '위험할 뻔했던 미지의 상황'에서 구해 준 동전을 칭찬했을 것이다.

살면서 인생이 바뀔 만한 선택이 종종 있었다. 미국에 살 때 테니스 코치는 비자를 연장하고 미국에 계속 남아 테니스를 칠 것을 권했다. 영화감독이 되겠다며 예고를 지망했던 적도 있다. 고등학생 이후에는 이과를 가느냐 문과를 가느냐, 재수를 하느냐 마느냐의 기로에 섰다. 그 이외에도 크고 작은 가지 않은 길들이 있었을 것이다. 물론 제2의 정현이, 봉준호가, 스티브 잡스가 될 수도 있었겠지만 마약에 찌들어 사는 유학생, 빚만 잔뜩 짊어진 실패한 영화감독 등등으로 살고 있었을 수도 있다. 오늘 동전이 정해 준 반대편 길로 가지 않았다면 어떤 길을 걸었을지 모른다. 가

길의 끝에서 마주한 행복(위)
서투른 한국어가 반갑기도, 신기하기도(가운데)
새로운 마을을 만날 때는 언제나 설렌다.(아래)

: 팜플로냐 도착

지 않은 길에 대해서는 후회하는 것이 아니다.

동전이 정해 준 길을 따라 걷다 보니 어느덧 정오가 가까워가며 안개가 걷히기 시작했다. 땅에서부터 걷히는 안개는 마치 구름으로 올라가는 듯했다. 저 멀리 오늘의 목적지인 팜플로냐가 보였다. 유럽에 온 이래 파리 이후 제일 큰 도시이다. 팜플로냐에서는 이틀 묵으며 재정비를 할 것이다. 어제 오늘의 동행들은 하루만 쉬고 떠난다고 한다. 까미노 위에서의 첫 이별이다.

 : 주비리 → 팜플로냐

첫 이별

올해는 외로움의 해였다. 동기 두 명과 함께 살긴 했지만 휴학을 하고 오전부터 밤까지 수업을 하러 이리저리 다니다 보면 집은 사실 잠자는 공간에 불과했다. 원체 혼밥, 혼술을 즐기는 성격이긴 했어도 올해는 혼밥, 혼술이 더욱 편해졌다. 오전 수업을 마치고 근처 라멘집에서 라멘 한 그릇, 카페에서 시간을 보내다 오후 수업을 하고 백반집에서 제육백반 한 끼, 그리고 밤 수업을 하고 돌아오는 길에 역 주변 수제버거집에서 간단하게 맥주 한 잔을 하는 것이 일상이었다.

유럽에 와서 고독은 더욱더 심해져 까미노를 걷기 전 며칠간 인생 중 최고로 홀로였던 시기를 경험했다. 홀로 고고한 에베레스트와 같은 고독은 아니었다. 언제나 옆에는 사람들이 있었으니까.

:
:

이제는 혼자 걸어야 한다.(위)
팜플로냐는 투우의 도시라고 한다.(아래)

오히려 빽빽히 들어서 있지만 서로 만날 수 없는 리아스식 해안의 섬들과 같은 군중 속의 고독이었다. 몽파르나스 역에서 우루루 쏟아져 나오는 사람들 사이를 연어처럼 역주행하기도 했고 여유로운 프랑스인들 옆에서 그들처럼 에스프레소를 마시며 바욘의 아침을 맞기도 했다. 하지만 나는 이방인일 뿐 낯선 언어를 말하는 그들과 섞일 수 없었다. 그럼에도 불구하고 오랜만에 호젓하게 보냈던 5박 6일은 꽤 신선한 경험이었고 동시에 많은 생각을 하게 만들어 즐거웠던 기간이었다.

까미노를 시작하기 전날 실로 오랜만에 한국 분들을 만나고 한

: 고요히 화려했던 팜플로나의 광장

국어로 대화를 나누었다. 어제까지의 동행이 된 S와 첫날 뵙고 아직까지 소식을 알 수 없는 또 다른 한 분이었다. 반가웠지만 동시에 오랜만에 즐기던 혼자의 시간이 끝났다는 사실에 한편 섭섭하기도 했다.

하지만 섭섭함도 잠시, 오랜만에 느껴보는 인간관계의 매력을 찾기는 어렵지 않은 일이었다. 말도 많고 탈도 많은 까미노라지만 함께 걷는 이들은 모두 따뜻한 이들이었다. 공동의 목표라기에는 각자 걷는 길이지만 행복하기 그지없었다. 첫날부터 동행이었던 한국인 S와의 매일 아침 첫 출발, 대만인 친구 C과 함께 도란도란 걸은 둘째 날의 세 시간, 저녁이면 따스한 웃음을 지으며 우아한 억양으로 인사하시던 프랑스 아주머니 M, 보헤미안 티를 팍팍 풍기던 자유인 B까지. 모두들 끝까지라도 같이 걷고 싶은 사람들이었다.

하지만 첫날 기차역에 내리자마자 살짝 삐끗한 다리가 결국 문제가 생겼다. 안 그래도 중고등학교 시절 농구하다 심심하면 삐곤 했던 오른쪽 발목이었다. 걸을 때 덜렁대는 것이 꽤나 거슬렸다. 그리고 코골이도 문제였다. 평소 코골이가 심한 나인데 매일 아침마다 초췌한 일행들의 얼굴을 마주할 때마다 괜스레 미안해졌다. 마침 입대 전 학교로 교환학생을 왔던 친구 하나가 팜플로냐에 있다 하여 친구 얼굴도 볼 겸 팜플로냐에서 하루를 추가로 묵어가기로 했다.

고독을 즐겼지만 이별은 여전히 아쉬웠다. 마지막 저녁을 함께

: 떠나보내기 전, 마지막으로 담배를 한 대 태웠다.

하고 번화가를 함께 한 바퀴 둘러본 후 와인과 함께 이베리코를 구웠다. 만찬이 끝난 후에도 코골이가 심한 나 때문에 좋았던 일행들이 마지막 밤까지 편히 못 쉴까 봐 일부러 식당에서 글을 쓰다 열두 시가 다 되어서야 내려왔다. 알베르게는 고요했고 일행들은 자고 있었다. 잠든 후의 코골이야 어쩔 수 없겠지만 일단 편히 잠에 들었다 생각하니 안심이 되었다.

오늘 새벽, 마지막으로 S와 함께 담배를 한 대 태우고 다시 못 볼 C와 S에게 작별인사를 했다. 떠날 사람은 떠나는 법이다. 이제 막 3일이 지났고 대부분이 앞으로 한 달은 더 이 길을 걸어야 한다. 한 달 간 많은 만남과 이별이 있겠지만 이번 만남과 이별은 첫 만

남 첫 이별이라 꽤 강하게 기억에 남을 것 같다. 하지만 모두 같은 길을 걷기에 만일 며칠 지나지 않아 그들을 만나게 된다면 오늘의 이 감성을 떠올리며 부끄러움에 혼자 배시시 웃을 수도 있다. 하지만 오늘 새벽 그 순간만큼은 감정에 충실하고 싶었다.

까미노를 걸으며 사람들이 마주치면 반갑게 "부엔 까미노!" 하고 인사하곤 한다. 늘 반가웠던 인사였지만 오늘 새벽엔 왠지 쓸쓸하게 들렸다. 내일부터는 다시 혼자 걸어야 할 것이다. 그리고 누군가를 만나고 다시 인사를 하겠지. Buen Camino.

첫 이별
그 후

8시까지는 그 누구든 알베르게를 떠야 했기에 지난 이틀간 함께 했던 S와 C를 떠나보내고 얼마 지나지 않아 다시 등산배낭을 멨다. 배낭을 졌는데도 갈 곳이 없어 어색했다. 어젯밤 자욱한 안개 속 가로등을 조명삼아 카스티요 광장에 울려퍼지던 아코디언 소리가 머리를 스쳤다.

　광장에서 아침을 맞이했다. 광장에는 대문호 헤밍웨이가 즐겨 찾았던 카페 이루냐가 제법 큰 규모로 광장 한쪽 면을 차지하고 있다. 86년 동안 크게 바뀐 것이 없다 하니 그때도 꽤 큰 규모의 카페였을 것이다. 개점 시간은 8시였지만 8시가 되어서도 문을 열지 않는다. 한국이었다면 아메리카노 한 잔을 기다리는 손님들로 장사진을 이루었을 시간이다. 바욘과 마찬가지로 팜플로냐 역시 새벽의 도시는 아니었다. 8시가 되었는데도 아직 광장은 고요하다.

　낮을 뜻하는 Day와 밤을 뜻하는 Night는 원래 해가 떠있는 시간과 해가 진 이후의 시간을 가리킨다. 그리고 여러 유럽 언어의 근간을 이루고 있는 라틴어가 그 뿌리다. 해가 떠 있는 시간은 사람들이 활동하는 시간이고 해가 진 이후의 시간은 활동하지 않는 시간이었다. 그래서 특정 구간을 뜻하는 전치사 in은 day에 속한 시간들에, 특정 지점을 뜻하는 전치사 at은 night과 함께 쓰인다. 해가 떠 있는 동안에는 사람들이 일을 하지만 밤에는 잠만 잘 뿐이라 그렇다. 반면 셰익스피어 소설에서 로미오가 줄리엣과 야간의 밀회를 한다든지 하는 로맨틱한 상황에서는 in the night과 같은 표현도 종종 쓰인다. 일종의 시적 허용인 셈이다. 역사가 밤에 이루어짐은 동서고금을 막론하고 불변의 진리다. 섬머타임 문화도 이와 맥을 같이하지 않나 싶기도 하다. 구대륙의 아침은 한국보다 늦다.

　카페 앞에서 하릴없이 서성대는 나를 봤는지 10분쯤 지나니 종업원이 문을 열어주었다. 유럽에 와서 처음 보는 넓고 꽤나 화려한 카페였다. 이곳에서 헤밍웨이는 대작 『태양은 다시 떠오른다』를 집필했다. 광장 위로 뜨는 해를 보고 싶었지만 날이 흐려 보지 못했다.

　카페 콘 레체 한 잔과 크루아상 하나를 시켰다. 론세스바예스를 떠나던 날 부르게츠에서 마셨던 카페 콘 레체와는 질적으로 달랐다. 헤밍웨이가 이곳을 찾은 것은 특별한 이유가 있어서가

: 헤밍웨이의 단골 카페, 카페 이루냐

아니라 맛있는 카페 콘 레체와 탁 트인 카페 안 원하는 자리에 앉아 뜨는 해를 관찰할 수 있었기 때문이 아닐까 싶었다. 세기의 대문호 헤밍웨이는 이곳에서 지나다니는 사람들을 보며 무슨 생각을 했을까?

지나간 날들의 기억을 글로 옮기며 카페 콘 레체 한 잔, 에스프레소 한 잔, 크루아상 하나를 깔끔히 마쳤다. 고시 삼관왕이 쓰던 독서대를 쓴다고 성적이 급상승하지 않듯 글을 짜내는 것은 여전히 어려웠다. 헤밍웨이가 즐겨 찾던 카페에 앉아 글을 썼다는 감성과 사진 몇 장에 5.20 유로를 지불했다. 그 값어치에 비하면 싼 편이었다. 헤밍웨이가 훼손될까 두려워했다는 카페는 다행히도 여전히 그 아름다움과 한적함을 유지하고 있었다.

공교롭게도 친구와의 약속이 취소됐다. 아쉽지만 이제 오랜만에 주어진 혼자만의 시간을 만끽하면 된다. 늦었지만 걸을 수 있을 만큼 까미노를 다시 걸어볼까도 싶었다. 하지만 이왕 쉬는 날에 굳이 내일 할 일을 오늘로 당겨야 하나 하는 생각이 들어 그만두었다. 사실은 팜플로냐를 하루 더 즐기고 싶은 마음이 컸다.

근처 사립 알베르게에 무거운 배낭을 풀고 다시 거리로 나섰다. 맛집으로 추천받은 근처 추러스 가게에서 글을 한 편 더 쓸까 했다. 점심과 살짝 겹쳐 애매한 시간이지만 추러스와 카페 콘 레

: 다시 혼자가 되었다.

체 한 잔이면 든든할 것 같
았다.

영어가 안 통하는 추러
스 가게에서 단어를 띄엄
띄엄 말해가며 추러스와
카페 콘 레체를 시켰다. 갓
튀긴 추러스는 달달쫀득했고 카페 콘 레체는 어김없이 맛있었다.
사실 카페 콘 레체는 한국에서 말하는 카페라떼다. 맛도 한국과
크게 다르지 않다. 다만 처음 먹은 카페 콘 레체가 맥심 믹스에서
설탕만 뺀 맛이 나서 기대치가 매우 낮아졌을 뿐이다. 시중 오렌
지 주스를 마시다 100% 착즙 오렌지 주스를 먹는다면 얼마나 맛
있을까. 그 정도의 차이라고 할 수 있겠다.

글을 채 마치기 전에 시에스타 시간에 걸려 카페를 떠야 했다.
보통 2시쯤이라고 알고 있는데 이곳은 일찍 문을 닫아 잠근다. 다
시 광장으로 향했다. 그런데 아뿔싸. 광장에 거의 다 와서야 돈을
안 내고 온 것이 떠올랐다. 머나먼 스페인까지 와서 은팔찌를 찰
수 없다는 생각에 부랴부랴 뛰어 닫혀 있는 가게 문을 두드리고,
아직 뒷정리를 하고 있던 주인에게 계산을 하고 나왔다. 한국의
카페 문화는 무조건 선불이지만, 스페인은 패스트푸드점이 아닌
이상 후불제이다. 때문에 종종 헷갈리곤 했다.

너무 걷기만 해서 뛰는 법을 잊었는지 뛰는 것이 어색했다. 다
시 광장으로 돌아가니 익숙한 음악이 들렸다. 새내기 첫 학기에

들었던 교양 교수님이 참 좋아하셨던, 고려대 응원가 중 〈지야의
함성〉의 원곡인 러시아 민요 카츄사를 어제의 아코디언 할아버지
가 연주하고 있었다. 가까이 다가가니 연주는 이미 끝나 있었다. 1
유로짜리 동전 하나를 바구니에 넣고 앵콜을 요청하니 흔쾌히 받
아주었다. 바닥부터 지붕까지 낯선 이 도시에서 익숙한 음악을 들
었다. 떠나온 지 얼마나 됐다고 잠깐 향수에 젖었다. 아코디언 아
저씨의 레퍼토리가 한 바퀴 돌았을 때쯤 글을 마치고 잠깐 쉬러
다시 알베르게로 향했다.

　팜플로냐는 투우로 유명한 도시이다. 아닌게 아니라 조금의 휴
식 후에 식료품을 사러 가다 보니 큰 투우 경기장이 옆에 자리하고

: 사과꽃과 배꽃 활짝 피고 / 강물 위로 안개 끼인 날 /
높고 가파른 강기슭 거닐며 / 카츄샤는 노래 부른다

있다. 이왕 온 김에 투우를 보고 싶었지만 아쉽게도 겨울은 투우 시즌이 아니다. 걸어가며 그 크기를 가늠해 보는 것으로 대리만족했다. 헤밍웨이의 『태양은 다시 떠오른다』의 등장인물 중에는 투우사가 있다. 여자주인공은 이미 두 번 이혼을 하고 또 다른 사랑을 시작한 사람이다. 분명 마음에 상처가 많은 사람이었다. 하지만 그의 마음을 다시 사로잡은 것은 한 명의 투우사였다. 과연 어떠한 정열이 그녀를 붙잡았는지 두 눈으로 확인하고 싶다. 언젠가는 스페인에 투우를 보러 꼭 다시 방문하고 말 것이다.

오늘 저녁으로 먹을 이베리코와 스페인식 쌀 조금과 내일의 일용할 양식, 사랑해 마지않게 된 €1.50짜리 맥주 한 병을 사들고 알베르게로 돌아왔다. 한국음식이 그리운 것이 아니다. 물 들어올 때 노 저어야 하고 이베리코는 먹을 수 있을 때 먹어둬야 한다. 소금과 카레가루로 양념한 이베리코를 굽고 쌀로는 간단하게 빠에야를 만들었다. 어제도 비슷한 메뉴, 비슷한 양으로 먹었건만 왠지 오늘은 식탁이 넓어보이고 음식 양이 많아 보였다. 광활한 4인용 식탁에 홀로 앉아 입에 이베리코를 꾸역꾸역 쑤셔 넣었다.

나름 도시까지 왔는데 8시에 그대로 잠에 들기는 아쉬워서 밖으로 다시 나왔다. 지금껏 묵었던 다른 도시와는 달리 바깥은 아주 시끄러웠다. 노랫소리가 들리고 웅성대는 소리가 요란했다. 안에서 지갑을 챙겨들고 다시 밖으로 나섰다.

해가 진 동안에는 잠을 자는 시간이라지만 스페인은 다른가 보

: 팜플로냐는 밤에 다시 살아난다.

다. 아니면 시에스타에다 밤의 시간을 조금 꿔준 덕에 한밤의 여유를 즐길 수 있는 것일지도 모른다. 거리에는 사람들이 가득했다. 흡사 대학 축제를 보는 착각이 들었다. 신기한 것은 길가를 따라 늘어선 주점들에는 사람들이 반 정도밖에 차 있지 않다는 사실이다. 한국 번화가의 밤거리는 흡연자들과 과음한 자들의 것이다. 팜플로냐의 밤거리는 흡연자들과 맥주를 마시는 자들의 것이었다. 너도 나도 맥주를 손에 들고 바에서 파는 안주를 길가나 야외 테이블에 깔아둔 채로 제각기 즐기고 있었다. 문화 충격이라면 문화 충격이다. 나도 덩달아 근처 바에서 맥주 한 병을 들고 야외 테이블에 앉아 맥주를 마시며 지금 이 글을 쓰고 있다.

유럽에 온 후 처음으로 맞은 축제의 밤이지만 내일은 다시 본분으로, 순례자로 돌아가야 한다. 공립 알베르게에서는 이틀 묵을 수 없기에 오늘은 사립 알베르게에 짐을 풀었다. 이 알베르게에는 까미노 순례객들이 아닌 일반 여행자가 셋 있을 뿐이다. 아마 공립 알베르게에는 미지의 순례자들이 내일을 기다리고 있을 것이다. 나도 내일은 그들과 함께 다시 걸어야 한다. 몸은 어느 정도 풀렸고 발목도 슬슬 괜찮아졌다. 오늘 팜플로냐의 태양과 내일의 태양은 분명 다를 것이다.

다시,
홀로
까미노

팜플로냐에서 광란의 밤을 보내며 마신 맥주 때문인지 오랜만에 6시 이후에 일어나게 되었다. 일행이 없기에 서두를 필요도 없었다. 느긋하게 짐을 챙겼다. 알베르게에서 준비해 준 아침을 먹고 평소보다 느리게 길을 나섰다. 오늘부터는 혼자 걷게 된다. 오늘의 일정에는 나름 랜드마크인 '용서의 언덕'이 포함되어 있다.

힘차게 팜플로냐의 새벽 거리를 걸었다. 배낭을 메고 신호등을 건너고 나바레 대학 내부를 걸었다. 이상하게 도시에서 배낭을 지고 걸으면 힘이 빠진다. 거리를 여유로이 걷는 이들을 보며 느끼는 이질감 때문일까.

도시에서는 모든 것이 편리하다. 대중교통을 탈 수가 있다. 걸어서 한 시간 걸릴 거리를 적어도 20분이면 간다. 바쁘다면 택시

84

: 힘차게 팜플로냐의 새벽 거리를 걸었다.

도 탈 수 있다. 잘 되어 있는 신호등 덕에 신호 위반만 하지 않는다
면 교통사고를 당할 여지도 적다. 원하는 것이 있다면 근처 백화
점이나 마트에 가서 사오면 된다.

하지만 순례자의 입장에서 느낀 도시는 혼돈이었다. 시골길을
따라서 걸을 때는 길이 하나밖에 없으니 갈림길이 나오기 전까지
길을 따라 아무 생각 없이 걸으면 목적지에 도달한다. 도시의 길
은 곧지만 여러 선택지를 제공한다. 이방인에게는 도시를 빠져나
갈 단 하나의 길이 필요할 뿐이다. 도시를 헤매며 나는 마치 OX
퀴즈로 나온다던 기말시험에서 서술형 문제를 맞닥뜨린 학생 같
았다.

드디어 팜플로냐를 빠져나왔다. 내 앞에는 새로운 도로가 펼
쳐졌다. 정들었던 135번 국도를 따라 팜플로냐까지 왔다. 팜플로

도시를 넘어서 다시 시골길을 걸었다.

냐에서 135번 국도는 끝나고 이제부터는 12번 도로 주변으로 걷게 된다.

12번 도로를 따라 걷다 다시 빠져나와 시골길을 걷는다. 오늘의 코스 중 하나인 용서의 언덕이 저 멀리 보였다. 용서의 언덕은 말만 언덕이지 사실 관악산보다 100m 가량 높다. 칼날처럼 좁은 언덕 위에는 끝없이 돌아가는 풍력 발전기가 줄지어 서있다. 언덕 위에는 순례객들을 형상화한 모형이 있다. 첫날의 트라우마가 아직 생생해서 시작부터 겁이 났다. 천천히 다가가기 시작했다.

안개가 오늘도 짙어 힘은 힘대로 들고 정작 볼 것은 없지 않을까 걱정이 되었다. 아니나 다를까, 밭으로 내려가자 안개가 다시 눈앞을 가린다. 멀리 보이던 팜플로냐 다음 날 코스는 윈도우XP 배경화면을 걷는 느낌일 것이라던 선험자에게 '액정이 깨져 있는데?' 하고 장난스레 메시지를 보냈다. 매일 장관을 봐야 하는 것은 아니지만 오늘만큼은 높은 코스 때문인지 어느 정도 풍경을 기대했지만 안개뿐인 오늘 풍경은 다소 실망스러웠다.

밀밭 따라 난 조그만 시골길을 걷다 보니 햇빛이 안개 사이로 뚫어 비춘다. 바스크 지방의 겨울 햇빛은 희고 차갑다. 적어도 내 기억 속 햇빛은 노란색이었다. 어쩌면 한국에 있는 동안엔 햇빛 따위는 아무래도 상관없는 삶을 살아서 못 느끼고 있었을지도 모른다. 희고 차가운 햇빛을 왼편으로 받으며 걸었다. 안개가 걷히면서 햇빛은 점점 뜨거워졌고 시간이 지남에 따라 나는 태양을 보며 걷게 되었다.

언덕 중턱에 있는 작은 마을 성당 앞 벤치에서 점심을 먹었다. 첫날과 다름없이 빵과 버터에 소시송을 곁들였다. 첫날 힘이 빠져 혼쭐난 기억이 있어 든든히 먹고 물도 많이 챙겼다. 성당 앞에는 스페인 가족 셋이 모여 점심을 먹으며 이야기를 나누고 있었다. 돌아갈 때 눈이 마주치자 "부엔 까미노" 하고 반갑게 인사를 했지만 인사를 반갑게 받아주고는 언덕을 내려간다. 마실 나온 근처 도시 사람들이었나 보다.

배낭을 지고 오르막을 오르다 보면 온몸에 열이 후끈하며 땀이 나고, 햄스트링에 힘이 들어가고, 숨이 거칠어진다. 그리고 심장이 뛰는 것을 느낄 수 있다. 몸이 살아있다는 것을 감출 수 없다. 운동하는 몇몇 경우를 제외하고는 일상생활에서 못 느꼈던 것들이다. 살아있다는 것은 너무 당연하고 자연스러워서 우리가 그것을 느낄 여지가 적다.

살아있음을 온몸으로 느끼며 용서의 언덕에 올라섰다. 장관이었다. 올라온 길을 따라 쭉 뻗은 밀밭. 멀리 보이는 지나온 도시들. 론세스바예스에서부터 함께 걸어오던 스페인 형제 한 쌍도 멈춰 서서 그저 바라볼 뿐이었다. 바람개비만 했던 풍력 발전기가 어느덧 제법 풍력발전기처럼 보였다. 왜 용서의 언덕인지는 아직도 모르겠지만 적어도 내 무거운 배낭과 멍청하게도 노파심에 온갖 잡것들을 배낭 안에 때려박은 내 스스로를 용서할 수 있을 만한 경치였다. 안개는 이제 몇몇 산골짜기에 자취만 남았고 청명한 가운데 비행기에서나 보던 구름 그림자가 들판을 군데군데 칠

: 용서의 언덕에 올랐다.

하고 있었다.

　표지판에 익숙한 표기가 보였다. 시울까지 9700km, 산티아고 데 콤포스텔라까지는 550km. 물론 직선거리겠지만 지금껏 온 것의 16분의 1만 더 가면 된다. 올 때는 비행기로 하루, 생장까지 하루, 생장에서 이곳까지 나흘, 6일이면 오는 거리지만 앞으로 그 다섯 배 정도가 더 남아 있다. 비교해 보니 슬로 라이프가 어떤 의미인지 속절없이 와 닿는다.

　용서의 언덕을 지나면 끝없는 자갈밭이 보속처럼 이어진다. 햇빛을 정면에서 받아 마치 낙엽처럼 반짝이는 자갈들은 낙엽길을 걸을 때와는 정반대의 둔탁함과 충격을 무릎에 선사한다. 덜렁거

: 보속의 자갈밭

리던 발목을 몇 번씩이나 접지를 뻔했다. 무릎보호대와 발목보호대를 안 했다면 아마 이 길로 한국행 비행기를 타지 않았을까.

　보속의 자갈밭을 내려온 후 마을 셋을 더 지나야 오늘의 목적지인 푸엔테 라 레이나에 도착한다. 축구강국 스페인답게 동네 아이들이 모여 축구를 하던 마을 하나와, 휴일이라 그런지 고요하던 마을 두 개를 거쳐 마지막 마을에 도달했다. 푸엔테 라 레이나는 여왕의 다리라는 뜻이다. 마을 이름답게 마을에는 사연이 있어 보이는 다리 하나가 놓여 있다. 웬일인지 힘이 남아돌아 왕복 2km 쯤 되는 여왕의 다리에 다녀왔다. 마침 해가 뉘엿뉘엿 산 너머로 넘어가는 중이었고 다른 마을에서 온 관광객들이 다리에서 사진을 찍고 있었다.

강가에 앉아 평온한 표정으로 도란도란 이야기를 나누고 있는 한 노년 부부의 모습도 보였다. 노년의 부부는 언제 보아도 아름답다. 어쩌면 자신보다 서로를 더 잘 알고 있을 사람들이다. 평생 이야기를 나누며 살았음에도 아직 나눌 이야기가 있다는 것은, 그리고 그러한 이야기를 나눌 상대가 있다는 것은 행복한 일이다. 내일 어차피 걸어와야 할 길이었지만 내일도 안개에 싸일 것이 분명하니 미리 와보길 잘했다는 생각이 들었다.

주로 시골 마을들을 거쳐가며 걷는 순례자들에게 일요일은 힘

: 이렇게 늙고 싶다.

든 날이다. 마트고 식당이고 연 곳이 거의 없다. 성수기가 아닌 비수기 때는 더욱 그렇단다. 오늘의 마을 푸엔테 라 레이나 역시 그렇다. 아주 시골도 아닌 동네인데 연 상점이 하나 없다. 시원한 맥주나 한 캔 사들고 돌아가고 싶었지만 마을을 한 바퀴 돌다 포기했다. 사온 식량은 점심에 다 먹어 쫄쫄 굶어야 할 판이다.

다행히도 돌아가는 길에 마을 바에서 하몽 보카디요와 튀긴 베이컨에 시원한 생맥주를 곁들여 저녁을 먹었다. 전자레인지에 데운 튀긴 베이컨은 바싹 말라 육포 느낌이 난다. 하몽 보카디요는 길쭉하고 딱딱한 빵에 그저 하몽 한 조각을 끼운 것이다. 평소라면 맛있다 느끼기 힘든 음식들이었지만 낮에 고생한 덕인지 무엇보다 맛있었다. 음식이 남으면 맥주가 부족하고, 맥주가 남으면 음식이 부족해서 이것저것 추가 주문을 하다 보니 어느 새 맥주 다섯 잔에 튀긴 베이컨 두 접시, 보카디요 하나를 먹었다.

숙소로 돌아가는 배는 빵빵하고, 지갑은 가볍고, 술이 오른 얼굴은 벌겋고, 다리는 무겁다. 하지만 나는 내일 다시 걸어야 한다. 내일은 그래도 꽤 큰 도시인 에스떼야로 간다.

 : 팜플로냐 → 용서의 언덕 → 푸엔테 라 레이나

불안에
적응하기

자유를 찾아 이곳에 왔다. 오늘 하루 걷든 말든 그 누구도 뭐라 하지 않을 것이고, 일어나는 시간과 잠에 드는 시간도 자유롭다. 알람 같은 것은 맞추지 않는다. 어디에도 얽매이지 않고 오로지 걷고 생각하고 먹고 마신다. 이것이 처음 길을 시작할 때의 나의 다짐이었다.

그러나 이곳에 와서도 은연중에 스스로 속박되어가고 있다는 것을 오늘 깨달았다. 어제 한 한국분과의 대화에 취해서 돌려놓은 빨래를 말리지 않았다. 중간에 알베르게 매니저분이 오셔서 퇴근한다 했음에도 불구하고 까맣게 잊어버렸다. 식사를 마치고 설거지를 할 즈음에야 비로소 생각이 났다. 하지만 사무실 문은 닫혀있었고 세탁실은 열려 있었지만 건조기는 사무실에서 바꿀 수 있

: 에스떼야 초입

는 특수한 동전으로만 이용이 가능하다.

　젖어 있는 빨래를 들어보았다. 5kg는 족히 나갈 것 같았다. 머릿속에 여러 생각이 스쳐 지나갔다. 첫째, 이 빨래를 그대로 짊어지고 30km, 행군. 17kg도 모자라 20kg가 넘는 짐을 지고 간다? 생각만으로도 첫날 다친 발목이 시큰거렸다. 둘째, 빨래를 들고 다음 코스로 점프. 머릿속에는 누구의 것인지 모를 음성이 패배자라고 외쳐댔다. 셋째, 하루를 더 쉰다. 머릿속에서 외치는 목소리가 더 커졌다. 12월 2일에 첫 여정을 시작했고 오늘은 딱 일주일이 되는 날이다. 원래 계획대로라면 로그로뇨까지 도착했어야 한다. 하지만 나는 지금 그보다 하루 뒤처져 있다. 하루가 가지는 의미가 언제부터 이렇게 컸는지 몰라도 오늘따라 하루가 한 달처럼 느껴졌다.

그러다 문득 이게 아닌데 하며 되뇌었다. 걸을 때 걷고 쉴 때 쉬는 자유를 찾아 이곳에 왔다. 그 누구도 속박하지 않는데 왜 나는 나 자신을 다시 옥죄고 있었는가. 12시 반에 대치동에서 수업을 마치고 샌드위치 하나를 입에 물고 2시까지 목동으로 가기 위해 바삐 지하철을 타는 것이 한국에서의 일상이었다. 목동에서 수업이 끝나면 다시 어디든 들어가 밥을 먹고 또 다른 아파트로 정해진 시간에 맞추어 이동해야 했다. 일과가 다 끝나고 안암역 영철버거에서 시원한 생맥주로 해방감을 만끽해도 다음날 오전 수업

: 까미노가 주는 평안함에 시나브로 젖어들어갔다.

을 위해서는 적어도 1시에는 잠에 들어야 했다.

이곳에 와서는 그럴 일이 없었다. 원하는 시간에 일어나, 원하는 속도로 걷고, 몸이 원하는 곳에서 쉬고, 밥을 먹고, 다시 몸이 원하면 일어나 걸으면 된다. 첫날에 걸음이 빠른 동행을 쉴새없이 따라가다 수레 미는 노인을 보고 동행과 발맞추어 가는 것을 포기하게 되었다. 지치면 쉬어갈 자유를 얻었다. 하지만 아직 계획에는 얽매여 있던 나였다. 계획은 그 자체로 속박을 의미한다. 그래서 오늘은 계획하지 않을 자유를 얻어보려 한다. 이번에는 내가 차고 있는지도 몰랐던 족쇄 하나가 땡그랑 하고 땅에 떨어지는 기분이다.

아마 한국에 돌아가면 다시 바삐 돌아가는 일상에 얽매이고, 정신없이 계획에 맞추어 살아가겠지. 그러나 자신이 열쇠를 가지고 족쇄를 차는 것과 열쇠가 없는 족쇄를 차는 것은 엄연히 다르다. 야생의 호랑이는 길이 들어도 야성을 잃지 않는다. 반면 처음부터 동물원에서 길이 든 맹수는 야생 적응 훈련이 필요하다. 나는 태어났을 때부터 동물원에 갇혀 있었다. 이번 순례는 숨겨져 있는 야성을 끄집어내기 위한 훈련의 일환이다. 잘 짜인 계획이 주는 안정감에서 탈피해 자율이 주는 자유와 불안에 적응해야 한다. 그래야만 나의 삶을 살았다고 삶의 마지막 순간에 자랑스레 말할 수 있을 것 같다.

:::

평화롭던 에스떼아의 저녁

인생이
그대를
속일지라도

기분 좋은 꿈을 꾸고 일어났다. 꿈에서 깨보면 현실을 마주하게 되는 것은 여기나 군대나 다를 바가 없었다. 오늘은 30km를 걸어야 한다. 사촌끼리 걷는다는 멕시칸 남녀 한 쌍은 이미 출발하고 없다. 오늘따라 갈 길은 멀지만 꿈의 여운을 좀 더 즐기고 싶어 다시 잠에 빠져들었다.

하지만 한번 놓친 꿈을 다시 찾기란 어렵다. 꿈 없는 잠을 40분가량 푹 잤다. 리오하 주의 주도인 로그로뇨는 큰 도시다. 팜플로냐에서도 느꼈지만 큰 도시에서는 길을 찾기 어렵다. 길을 찾는다 해도 이리저리 몇 번씩 꺾어야 하기 때문에 항시 폰을 손에 들고 있어야 한다. 카페에 들러 아침으로 카페 꼬르다도와 하몽 샌드위치를 먹으며 지도를 한참 보다 짜증이 확 나서 폰을 닫았다. 도시를 떠나려면 어차피 해 지는 방향으로 가면 된다. 떠오르는 해를 등지고 무작정 걸었다.

머지않아 지도를 볼 때 머릿속에 담아두었던 공원이 나왔다. 공원의 끝에 도시의 끝이 있다. 무조건 서쪽을 향해 공원을 빠져나오자 드디어 이정표가 보였다. 공원은 또 다른 공원으로 이어졌다. 호수까지 있는 꽤 큰 공원이었다. 청둥오리들이 여유롭게 노닐고 있었다. 이들은 서양의 오리들이 무조건 흰색 혹은 갈색일 것이라는 편견을 여지없이 깨준다. 비둘기도 마찬가지다. 디즈니 만화에서 주인공이 아침에 창문을 열면 푸드덕거리며 날아오를 만한 흰 비둘기는 이곳에도 없다. 디즈니 애니메이션이 굳이 고증을 해가며 만들었을 리 없긴 하지만 편견에 가득 찬 관광객 입장에서는 꽤나 아쉽다. 청둥오리들과 회색 비둘기 떼, 청솔모에게 먹이를 주던 한 할아버지와 애완견을 데리고 조깅하던 한 쌍의 커플을 지나쳐 다시 길 위에 올랐다.

어느 길이 옳은 길인가를 지도에서는 가르쳐주지만, 사실 그것이 진실로 옳은 길인가에 대해서는 생각해 보아야 한다. 지금은 유명해져서 레저용으로 걷는 사람이 많지만 까미노는 원래 순례자들의 길이다. 모로 가도 서울로만 가면 되듯 어떻게 해서든 종착지인 산티아고 데 콤포스텔라로만 가면 되는 것이다. 현재 이용되는 루트가 고정된 것은 21세기 교황 요한 바오로 2세의 방문 후의 일이다. 아마 그 이전 초기 순례자들은 무작정 서쪽으로 걷지 않았을까. 산이 있으면 산을 넘고 강이 있으면 강을 건너고. 가야

대도시를 빠져나오는 길은 언제나 새롭다.

만 하는 길, 정해져 있는 길이란 없었을 것이다. 다만 더 좋은 길, 쉽고 빠른 길이 있을 뿐이다.

하지만 까미노는 언제나 더 좋고 쉽고 빠른 길로 순례객들을 인도하지 않는다. 평평한 콘크리트를 놔두고 굳이 진흙길로 걷게 만든다. 이정표를 따라 힘들게 높은 곳에 있는 마을로 올라갔더니 마을 최정상을 찍고 다시 내려와 원래 걷던 평평한 도로와 조우하는 일도 있다. 이왕 여기까지 왔으니 고생 좀 해보라는 심산인지 높은 곳에 올라가서 경치 구경이나 하라는 뜻인지는 알 방도가 없지만 그럴 땐 괜히 속은 기분이 든다. 공원을 나서며 이정표를 따라왔음에도 불구하고 정식 루트가 아닌 공원을 한 바퀴 돌아오는 루트를 걸었다는 것을 알아챘다. 이번에도 또 제대로 속은 기분이 들었다. 문득 더 빠르고 쉬운 길이 아니면 어떠냐는 생각을 했다. 아침부터 몇십 분 더 고생하긴 했지만 그래도 호수에 노니는 청둥오리들과 함께 아름답게 하루를 시작했으니 그것으로 되었다.

공원을 지나니 이윽고 포도밭이 시야를 가득 메운다. 어떤 나무들은 이미 가지치기된 상태였고 어떤 나무들은 아직 수확 후 남겨진 포도가 곳곳에 달려 말라가고 있었다. 한국에서 까치밥 주는 개념과 비슷할까 하고 생각해 본다. 이곳 리오하 지방은 보르도와 어깨를 나란히 하는 와인 산지 중 하나다. 스페인에서는 10유로도 안 되는 돈에 질 좋은 리오하 와인을 병째 마시는 호사를 누릴 수 있다. 엊그제는 한국 한 레스토랑에서 즐겨 마셨던 와인을 발견했다. 동일 빈티지가 한국에서는 3만 원, 스페인에서는 세일가 3.75

: 스페인 제1 와인 산지인 리오하 지방답게 어딜가나 포도밭이 보였다.

유로. 여기서 와인을 좀 더 열심히 즐기다 가야겠다.

끝없는 포도밭을 걷다 보면 미국에서의 기억이 문득 떠오른다. 미국 중부에서는 어디를 가든 끝없는 옥수수밭의 향연이 펼쳐진다. 지평선에서 반대쪽 지평선까지 빈틈없이 들어선 옥수수들은 처음에는 충격적인 장면이었지만 이내 눈을 감고도 떠올릴 수 있을 정도로 그저 그런 풍경 중 하나가 되었다. 팜플로냐에서 푸엔테 라 레이나로 갈 때의 밀밭, 오늘의 포도밭 모두 그러하다. 눈으로 볼 만큼 보았으니 미국의 옥수수밭처럼 이제는 내 마음 속 풍경 중 하나로 확실히 자리 잡을 것이다.

소설을 쓰느라 이번 여행 내내 겨울 산티아고 순롓길의 냄새를 찾고 있었다. 향에 민감한 여자 주인공을 여행으로 이끌 장치 중 하나이다. 다녀온 친구 하나는 소똥과 양똥 냄새라 했다. 첫날과 둘째 날의 경험으로 그럴듯하다 느꼈지만 적어도 여자 주인공이 알프스 소녀 하이디가 아닌 이상에야 쓰기 힘들 일이다. 오늘 처음으로 산티아고 순렛길의 냄새를 맡았다. 겨울 산티아고의 냄새는 멀리서 태우는 포도나무 가지의 매캐함, 걷는 내내 맡은 흙내, 아직 잘라내지 않은 가지에 매달려 말라가는 포도의 달콤한 냄새, 그리고 아직 마르지 않은 싱그러운 풀냄새가 어우러진 향이다. 그러나 아직 갈 길이 많이 남았고, 맡을 냄새도 많을 테니 소설을 이어 쓰는 것은 잠깐 미뤄두기로 한다.

첫 마을인 나바레테에서 성당 앞 벤치에 앉아 간단히 점심을 먹었다. 나보다 늦게 출발한 순례자들이 앞서 지나간다. 그럼에도 조바심이 안 나는 걸 보니 점점 스스로 순례 자체를 즐기고 있다는 것을 느끼게 된다. 첫날에는 무엇을 위해 그토록 경주하듯 걸었나.

점심. 마음에 점을 찍듯 먹는 식사다. 한국에서는 무조건 맛있는 음식을 찾았다. 점심에 고기를 폭식하기도 했다. 몸이 고생하니 밥이라도 잘 먹자는 주의였다. 까미노를 걸으며 분명 몸은 일생 중 제일 고

: 애주가인 나에게는 어딜 가나 저렴했던 맥주가 큰 힘이었다.

생하고 있을 터인데 흔히 먹는 점심은 바게뜨 4분의 1쪽에 버터 조금과 1유로에 너덧 장 들어 있는 하몽 슬라이스이다. 아니면 맥주 한 잔에 또띠야 한 조각이거나. 점점 본질에 맞게 살아가는 법을 배운다.

점심을 마치고 나바레테를 나오면 곧게 뻗은 고속도로와 그 옆으로 또한 곧게 뻗은 까미노를 마주한다. 언뜻 봐도 30분은 걸어야 도달할 곳에 차들은 내 옆을 스쳐간 지 1분이면 도달해 있다. 그리고 보니 그간 문명 속에서 참 편하게 살았구나. 이 스마트폰마저 없었다면 나는 여러 축척의 지도와 매일 밤마다 글을 쓸 양피지 두루마리나 석판을 수레에 가득 가지고 다녔을지도 모르겠다.

곧게 뻗어 하늘과 닿은 길을 걸음은 생각보다 경이로운 일이다. 무한히 뻗어있을 것만 같은 이 길을 한 발짝 한 발짝 내딛다 보면 어느새 하늘과 맞닿았던 그곳에 내가 서있다. 그리고 하늘은 저 멀리 도망가 새로운 길의 끝에 선다.

하늘과 술래잡기를 하다 보니 옆길로 빠져 다시 나오는 포도밭, 포도밭, 포도밭으로 들어서게 되었다. 세계 최대라는 말은 괜히 붙는 것이 아니다. 매캐한 매연 대신 다시 포도가 말라가는 냄새와 포도나무 가지 태우는 냄새가 났다. 포도밭을 걷다 보니 길을 헤매는, 점심 때 내 앞을 지나간 한 남자를 만나게 되었다.

로호라고 했다. 포도밭에서 일한다는 이 남자는 고향인 프랑스 버건디 지방에서부터 야영을 하며 걸어오던 참이었다. 까미노에는 올 계획이 없었는데 마치 포레스트 검프처럼 집을 떠나 걷고 걷고 걷다 보니 어느 새 까미노에 서있었다고 한다. 투르 지방에서 똑같이 텐트를 메고 걸어오던 바쏘가 생각났다. 스페인에서는 야영이 불법이 아니냐고 물으니 스페인은 물론 프랑스에서도 불법이란다. 바쏘나 로호나 둘 다 참 멋있는 친구다.

과묵한 바쏘와 달리 말하길 좋아하는 로호와 길을 가며 여러 이야기를 나누었다. 로호는 현재에 집중하는 법을 배우는 중이라고 했다. 그러며 스스로 배낭 안에 챙긴 것들에 대해 반성한다고 했다. 왜 옷을 두 벌씩이나 챙겼는가, 왜 텐트 방수커버를 챙겼는가, 왜 비옷을 챙겼는가. 이 모든 것들이 미래에 대한 걱정에서 오는 것이었고 우리가 그토록 걱정하는 미래는 현재가 되지 않는 이

: 로호를 만난 어느 포도농장 앞

상 의미가 없다는 것이 그의 지론이었다. 다소 극단적이긴 했지만 10kg도 무겁다 하는 이 까미노 위에서 17kg짜리 배낭을 짊어진 나는 적어도 어느 정도 그에게서 배울 것이 있었다.

포도밭에서 말라가는 포도 한 송이를 따먹으며 로호와 이런저런 이야기를 하다 보니 금세 나헤라에 도착했다. 도시로 들어서자마자 바가 보여 나는 맥주 한 잔을 하러 잠시 멈추고, 로호는 제 갈 길을 갔다. 오늘도 나헤라나 그 이후 어딘가에서 야영을 한다 했다. 하늘은 아직 파랗고, 불어오는 바람은 시원하고, 로호는 그 바람을 따라 어디론가 갔다. 그리고 나는 맥주와 함께 이 자리에 남았다. 에스떼야에서 모든 것을 내려놓기로 한 후 몸과 마음은 가볍기 그지없다. 아직 산티아고까지는 20일 가량이 더 남았다. 이후 포르투까지 걸을 것을 생각하면 40일 정도가 남았고 총 여정의 20퍼센트가 끝났을 뿐이다. 그리고 몸과 마음은 시나브로 적응하고 있다.

 : 로그로뇨 → 나헤라

겁쟁이의
행복

사회는 겁쟁이에게 철퇴를 내린다. 만용 역시 환영받지 못하지만 어찌 보면 만용으로 보일 수 있는 여러 영화들에게 사회는 관대하다.

혈혈단신으로 마피아 소굴에 찾아 들어가 연필 하나로 덩치들을 제압하는 존 윅이라든지, 핵무기가 터지기 10분 전 달아나는 악당의 헬기에 매달리는 에단 헌트 요원이라든지. 어쩌면 우리 모두 결말이 어떠할 것이라고 예측을 하기에 그럴 수 있는 것일지도 모른다. 그래서 어벤져스3의 마지막 장면과 햄릿의 죽음이 우리에게 큰 충격을 가져다 주는지도. 그들은 만용이라 생각될 정도로 용감한 자들이었는데 그들의 용기에 합당한 대가를 받지 못한다. 하지만 사실 우리의 현실은 존 윅이나 미션 임파서블보다는 어벤

져스3과 햄릿의 이야기와 조금 더 가깝다.

나는 용기 있는 자가 되고 싶었다. 존 윅이나 에단 헌트는 몰라도 적어도 콜럼버스 정도는 되고 싶었나 보다. 그리고 그 덕분에 오늘 두 번씩이나 죽을 뻔했다. 오늘은 심심하기 그지없는 평탄한 국도 옆길을 십여 km씩 걸었다. 어느 마을로 들어서는 길 위에서 있던 일이다. 앞에는 평탄한 국도가 있다. 왼쪽은 마을로 돌아가는 길이다. 어차피 평탄한 국도와 마을로 돌아가는 길은 2km 정도 앞에서 만난다. 마을로 돌아가는 길은 대신 1km 정도를 더 걸어야 한다. 지친 나에게는 선택의 여지가 없었다. 정해진 까미노는 아니었지만 용감하게 국도로 갔다. 그리고 딱 5분 후 후회했다.

: 이제는 아침에 길을
떠나며 20kg 배낭을 짊어지는
일이 익숙하다.

국도 옆 갓길이 점점 좁아지더니 어느 새 딱 어깨 너비가 되었다. 옆으로는 트레일러들이 쌩 하고 지나다닌다. 워낙 고속으로 달리기 때문에 지나간 후 몰아치는 바람에 빨려 들어갈 것만 같다. 광활한 스페인 평야에서 치여 죽어 몰래 묻히면 수십 년 후 도로 확장 공사할 때나 발견될 것 같았다. 게걸음을 치다가 결국 국도 옆 수풀로 들어가 걸었다. 뱀도 심심찮게 나온다는 말에 조심하며 걷느라 원래 40분이면 갈 거리를 한 시간 동안 마음 졸이며 걸었다.

어제는 비교적 짧은 거리를 걷게 되어 야심차게 7km를 더 갈 계획을 세웠다. 그러나 의지박약으로 원목적지인 21km 지점까지밖에 못 갔다. 그것이 마음에 걸려 오늘은 반드시 7km를 더 걷겠노라 다짐하고 길을 나섰다. 원목적지인 23km 지점에 도달했을 때 다시 심한 갈등을 겪었다. 그러나 오늘은 기필코 이동해서 승리의 기분을 만끽하고 싶었다. 7km를 꾸역꾸역 더 걸었다. 선험자가 그렇게 추천하던 따뜻한 알베르게와 좋은 식사가 눈에 잡힐 듯 말 듯했다. 그리고 드디어 목적지에 도착했을 때, 모든 것은 와르르 무너져 내렸다.

나를 기다리고 있던 것은 앞서 걷던 동행분의 허탈한 표정과 스페인 평야를 쓸어내리는 강풍뿐이었다. 그랬다. 오늘은 그 마을의 숙소가 쉬는 날이었다. 마을 할머니 한 분이 지나가며 또다시 7km를 가면 문을 연 숙소가 있을 거라 말씀하셨다 했다. 이전 마을까지도 7km, 앞으로도 7km. 선택의 여지가 없어 보였다. 그러나 이후 마을에 전화를 해본 결과 그곳의 알베르게 역시도 문을 닫았

이때까지는 모든 것이 거짓말처럼 평안했다.

다. 그 이후 마을은 그로부터 다시 7km 앞에 있다. 해는 산 너머로 뉘엿뉘엿 지고 바람은 점차 거세지고 있었다.

　인간의 나약함 그리고 간사함은 그것이 어쩔 수 없는 선택이라 여겨질 때 제일 크게 발휘된다. 어제 7km를 더 걷지 못했던 것은 발바닥이 아파서 그리고 앞으로 걸어야 할 길에 조그만 구릉이 하나 있기에 어쩔 수 없던 일이었다. 오늘 나는 나의 최선을 다했다. 30km, 중간에 마을에서 고민하느라 헤맨 것까지 포함하면 32km를 걸었다. 하지만 어제 최선을 다하지 못했던 탓인지 천운은 없었다. 그래. 어쩔 수 없었다.

　어쩔 수 없이 겁쟁이가 되기로 했다. 다시 7km를 걸어 마을로 돌아가서 내일 같은 길을 걸을 용기는 없다. 알베르게가 연 마을을 찾아 언제까지나 걸을 용기는 더더욱 없었다. 겁쟁이는 택시를 탔다. 안락함을 30유로로 사고, 수치와 패배감은 덤이었다. 하지만 오랜만에 내 발이 아닌 무언가로 이동한다는 사실은 죄스럽지만 아주 큰 행복을 선사했음을 고백한다.

　무려 20km를 달려 도착한 마을에도 알베르게는 문을 닫아 돌아가는 택시기사를 황급히 불러 세웠다. 다행히도 3km 떨어진 다음 마을에는 문을 연 알베르게가 있다고 한다. 3km를 더 달렸다. 죄책감은 어느덧 씻은 듯 사라지고 드디어 몸을 뉘일 공간이 있음에 기쁨만 남았다.

　자그마치 하루 분량을 뛰어넘었기에 일주일 전 팜플로냐에서 헤어졌던 반가운 얼굴들을 다시 볼 수 있었다. 친절한 프랑스 아주머니 M, 대만인 C, 내 첫 동행 S, 여전히 자유로운 B까지. M의 말에 따르면 내가 묵으려고 계획했던 숙소로부터 이곳까지 모든 알베르게가 문을 닫았다고 한다. 절대 뒤로 돌아가지는 않았을 터인데다 중간에는 쭉 산길이었으니 만일 의지의 한국인 따위의 소리를 하며 계속 앞으로 나갔더라면 조난당하거나 죽거나 했겠지. 겁쟁이였기에 살았다.

7시 반부터 판다는 저녁을 기다리며 따뜻한 벽난로 앞에 모두들 둘러 모여 이야기를 도란도란 나누었다. 참으로 고된 하루였다. 죽음이 두 번이나 눈앞에 있었지만 지금은 장작이 활활 타는 벽난로, 빈대가 있을 것같이 생겼지만 그래도 몸이 쉴 수 있

는 벙커 침대들, 이제는 전우애가 느껴지는 사람들이 내 눈앞에 있다.

두 시간을 기다려 먹은 저녁은 정말 최악이었다. 파스타에서는 양념에 실패한 케첩 떡볶이 맛이 났고 스테이크에서는 식초 냄새가 났다. 와인은 포도주스에 소주를 탄 듯했다.

: 식초냄새가 났던 스테이크와
유난히 경계심이 많던 고양이

패배자의 저녁으로 잘 어울리는 메뉴와 맛이었다. 하지만 그 모든 것이 무슨 상관이랴. 겁쟁이가 된 대신 나는 하루 더 연명할 생명을 얻었고 따뜻한 쉴 장소, 식당 안을 뛰어다니는 귀여운 아이의 웃음소리와 경계심 많은 고양이의 발걸음을 얻었다.

분명 어떻게든 오늘 밤 23km를 더 걷고 산을 넘어 '살아서' 어느 마을에든 도착했다면 스스로와 사람들에게 전설로 남았을 테다. 영웅이 된 듯한 기분에 차서 언제까지나 즐겁게 무용담을 펼칠 수 있었겠지. 그러나 나는 오늘 겁쟁이가 되었고, 이런 것이 영웅이 아닌 겁쟁이들에게 주어지는 조그만 행복이라면 가끔씩은 겁쟁이가 되어 보아도 좋겠다는 생각을 했다.

 : 산토도밍고 → 아타푸에르카

파란 하늘을
가슴에
품다

이곳에서는 날씨에 민감해진다. 농부들의 심정은 정확히 모르겠
지만 적어도 그들이 비가 오기를 기도한다면 우리는 날이 가물기
를 기도한다.

까미노의 첫 이틀은 비가 간헐적으로 왔다. 온몸이 흠뻑 젖을
정도는 아니었지만 체온을 내리고 진흙탕을 만들어 발을 무겁게
하기에는 충분했다. 오늘 비가 온다는 예보에 대해 엊저녁 알베르
게에서 이야기가 꽤나 오갔다. 그리고 그때는 아무도 간헐적인 소
나기라는 표현에 대해 크게 신경 쓰지 않았다. 강수량이 시간당
1mm 정도에 지나지 않았기 때문이다.

적어도 오늘 아침 서쪽 하늘에 번개가 번쩍이고 천둥소리가 들
릴 때까지만 해도 나에게 기회는 있었다. 아직 숙소에 있었으니

방수바지와 판초우의를 꺼내 입고 스패츠를 착용하면 됐다. 그런데 첫날과 둘째 날에 아직 덜 혼나서였는지 나는 평소와 같은 복장으로 길을 나섰다. 비보다는 처음에 예정된 꽤 커다란 언덕을 걱정했다.

길을 나설 때만 해도 비는 첫날과 둘째 날에 흩뿌리던 비와 크게 다를 바가 없었다. 그 정도라면 얼굴에 미스트를 꾸준히 뿌려주는 정도의 세기다. 초등학교 시절 교무실에 있던 난초가 느꼈을 법한 촉촉함을 느끼며 자갈밭 언덕을 오르기 시작했다. 그러는 동안 비바람은 점점 거세져 언덕 정상에 가까워오자 바람에 걸음이 휘청일 정도가 되었다.

흙보다 돌이 더 많은 땅을 밟고 걷느라 미끄러지는 일은 다반사였다. 그렇게 거대한 십자가가 서있는 언덕을 오르고 내려왔다. 이제 오늘의 오르막은 없다. 하지만 언덕을 내려와서도 계속 몰아치는 비바람은 한 치 앞을 볼 수 없

: 언제나 시작은 활기차다.

: 한 바닥의 파란 하늘은 한 바닥일지언정 하늘을 뒤덮은 먹구름을
잊게 하는 힘을 지녔다.

게 했다. 안경에는 김이 서리고 물방울로 가득해 바닥과 바로 앞
사람의 휘날리는 판초우의만 보고 걸었다.

그러다 삽시간에 비바람이 멈추고 고요가 찾아들었다. 비로소
오늘 여정을 떠난 후 처음으로 고개를 들고 하늘을 볼 수 있었다.
흐린 하늘 가운데 맑은 하늘이 언뜻 보였다. 파란 하늘이 보인
다 하고 동행들에게 외쳤다. 회색빛 구름들 사이 파란 하늘은 여
태 본 그 어떤 하늘보다 아름다웠다. 메말라 본 자들만이 가뭄 끝
단비의 소중함을 알 것이고 빗속을 걸어 본 자들만이 비가 그친
후 파란 하늘을 보았을 때의 즐거움을 크게 느낄 수 있을 것이다.

조그만 파란 하늘을 보며 걸었다. 이윽고 다음 마을에 도착했

고 비바람에 지친 우리는 잠깐 쉬어가기로 했다. 비바람과 언덕 탓에 길을 떠난 지 거의 두 시간이 지나서야 첫 휴식을 가졌다. 덕분에 오늘의 목적지까지는 반 정도의 거리밖에 남아있지 않았다. 파란 하늘이 보임에 감사했다. 때맞추어 축복처럼 성당에서 들리는 종소리를 뒤로 하고 다시 길을 재촉했다. 비가 다시 부슬부슬 내렸지만 아까의 파란 하늘을 마음속에 간직한 채 걸으니 썩 나쁘지 않았다.

그리고 약 1시간 뒤, 나는 뺨을 채찍처럼 때리는 우박과 방수 자켓도 뚫는 비바람을 마주하게 되었다. 방수 등산화 속에도 물이 차 걸을 때마다 철벅철벅 소리가 났다. 핸드폰 배터리가 다 떨어져 가는 걸 보고 가방 속에서 보조배터리를 꺼냈지만 물에 흠

: 도착 후에는 거짓말같이 날이 개었다.

빽 젖은 보조배터리는 고장이 났는지 작동하지 않는다. 가방에 매단 조개껍데기 하나가 아니었다면 영락없는 거지꼴이다. 마음속 파란 하늘 따위는 이제 떠오르지도 않았다. 마음속 파란 하늘 같은 소리 하네.

 : 아타푸에르카 → 부르고스

성당
이야기

대학에 들어온 후 많이 소홀해졌지만 모태신앙으로부터 내려온 가톨릭 신자의 DNA가 나에게 있다. 어쩌면 내 몇몇 주변인들은 놀랄 것이다. 왜냐하면 지금까지 나의 모습은 금주보다는 음주, 신자보다는 미친 자, 성서보다는 전공서가 어울리는 사람이었을 테니까.

　그러나 나는 가톨릭 신자고 종교 문제는 퍽 민감한 문제기 때문에 지금껏 그 어디에서도 종교 이야기를 하지 않았다. 이는 예민한 문제다. 비종교인들에게 종교인들은 이해하기 힘든 그들만의 영역이 있는 것으로 여겨진다. 그리고 종교인들에게 비종교인들은 마치 진리를 모르는 불쌍한 어린양처럼 비춰지기도 한다.

　그러나 적어도 종교인으로서의 자아와 사회인으로의 자아 두

가지가 내 안에 공존하기란 어려운 일이 아니다. 나는 인간이 원숭이에서 진화했다는 단순명료한 진실을 믿는다. 동시에 성당에 가면 천지의 창조주라는 단어를 포함하고 있는 기도를 하고, 태초의 인간인 아담과 이브의 이야기를 듣는다. 아담과 이브가 오스트랄로피테쿠스가 아닌 이상에야 꽤나 모순적이지만 나에게 세상의 상식은 상식이며 종교는 종교다. 만일 양쪽 중 한 쪽을 인정하지 않는다면 종교인임을 포기해야 하거나 세상의 과학을 받아들일 수 없다.

이번 여행은 나에게 있어 단순한 여행이 아닌 순례이다. 세계 3대 성모 성지 중 하나라는 프랑스의 루르드에서 순례를 시작했고 순례의 마지막은 포르투갈의 파티마에서 끝맺는다. 따라서 이번 순례는 나를 찾기 위한 여정이기도 하지만 맹목적으로 성당에 다녔던 학창시절과는 달리 스스로 내 안에 잠든 씨앗을 확인하는 여정이기도 하다. 루르드에서는 씨앗이 싹 터오는 듯했다. 그러나 화려한 유럽의 성당들을 볼 때면 그 웅장함에 놀라면서도 왠지 가톨릭 신자로서 가슴 한 편이 불편해오는 것은 어쩔 수 없다.

유럽의 성당들은 화려하다. 넓은 성전 안 오직 제대와 감실 속 붉은 불빛이 비추는 한국의 대다수 성당과는 달리 유럽 성당의 내부는 금빛이다. 정사각형 방과 올려다보면 목이 아픈 고딕 성당의 돔은 많은 조각과 그림으로 꾸며져 있다. 물론 프랑스와 스페인의 오랜 가톨릭 역사와 이에 대한 아낌없는 왕가와 귀족들의 지원 덕분이겠다. 동남아시아 국가들의 번쩍이는 절과 다르지 않

:
:
:

부르고스 대성당

다. 그러나 비슷한 시대 농민들의 생활상을 다룬 글이나 고증이 잘 된 영화 등을 본다면 참혹하기 그지없다. 거리에 몰려다니는 쥐 떼와 그로 인한 페스트, 그게 아니라도 열악한 위생상태, 가뭄이 들면 속절없이 죽어나가는 농민들. 그러는 와중에도 굶어 죽어가는 농민들의 헌금과 무려 5세기 동안이나 지속된 면죄부 판매, 왕가의 지원으로 인해 종교의 성직자들과 성전은 나날이 화려해져 갔을 것이다.

종교의 목적은 무엇인가. 현세에서의 교화로 인한 내세에서의 구원을 많은 종교들이 내세운다. 혹 어떤 종교들의 경우 아마게돈이 멀지 않았음을 선포하며 그로부터의 구원을 미끼로 신도들을 모으기도 한다. 하지만 화려한 성당 안 금색 장식들을 보고 있노라면 과연 중세의 가톨릭이 종교의 참목적을 실천했을지는 의문이다. 물론 계급이 명확히 나뉜 사회였기에 태어난 대로 일생을 살아간다는 인식이 있었겠지만 날 때부터 호의호식하는 왕과 귀족들을 보며 날 때부터 늘 굶주리던 농민들이 가지는 생각은 어떤 것이었을까? 그들에게 정작 필요한 것은 왕과 귀족, 성직자들의 아름다운 대성전이 아니라 하루하루를 연명할 수 있는 식량이었을 텐데.

불교는 이에 대해 윤회라는 명확한 교리를 제시한다. 내가 현세에 이렇게 살아가는 것은 나의 전생 때문이며 현세에서 쌓은 나의 과오나 덕에 따라 나는 미래에 재벌 총수의 아들이 될 수도, 땅 속의 지렁이가 될 수도 있다. 현세를 올바르게 살아가도록 교화하는 데에는 가톨릭의 교리보다는 오히려 이쪽이 더 설득력 있다. 둘 다 미래를 위해 참는 아이가 성공한다는 마시멜로 이야기 한 편을 보는 것 같다. 그러나 우리가 이미 경험하고 있는 인간 세계의 부귀영화 혹은 고통은 우리가 경험하지 못한 내세의 부귀영화 혹은 고통보다 훨씬 더 와 닿는다. 죽은 후의 상태를 그 누구도 경험해 보지 못하고 상상할 수조차 없기 때문이다.

웅장하고 빛나는 유럽의 성당들과 면죄부 판매 등의 불편한 역사 뒤에 감춰져 있을 유럽 평민들의 힘든 삶을 생각하면 루터와 칼뱅의 종교 개혁이 이해가 된다. 호의호식하며 많은 후원으로 유럽의 많은 성당을 쌓아올린 이들의 삶보다 금욕주의를 표방하는 청교도적 삶이 천국에 제일 가까워 보이니 말이다. 현재의 가톨릭이 어떠하든지 간에 그 시절 유럽의 가톨릭은 적어도 모든 이들과 함께하는 가톨릭은 아니었던 것 같다.

왜인지는 모르겠지만 가톨릭에서 성전을 건립하는 비용은 대부분 후원으로만 충당된다. 명동성당을 지을 때도 그랬고 요즘도 일요일 미사에 참례하다 보면 교구 단위로 모금을 다니는 분들을 만나곤 한다. 롯데월드타워가 몇 년 만에 뚝딱 지어지고 제일 세밀한 부품도 3D프린터로 제조할 수 있는 요즘에도 바르셀로나의 사그리다 파밀리아가 백 년이 넘는 기간 동안 건축되고 있는 이유 중 하나이다.

오래되고 큰 성당은 시설 보수에 끊임없이 투자를 해 주어야 하고 그 비용을 충당하려는 목적 때문인지 스페인 성당에서는 입장

부르고스 대성당 내부

료를 받는다. 적게는 2유로부터 많게는 5유로까지. 그래서인지 입
장하는 방문객들은 성당을 하나의 박물관이나 미술 전시관 정도
로 여긴다. 물론 성당에도 성전의 필수 요소인 감실이나 성수반
등은 없다. 대신 이곳저곳에서 사진을 찍으며 포즈를 취하는 관
광객들이 가득하다.

한국에서 굳이 미사 시간이 아니라도 성당을 찾곤 했다. 꼭 기
도를 하지 않더라도 가만히 감실 앞에 앉아있다 보면 마음이 평
온해지곤 했다. 물론 유럽의 여러 성당들에서 역시 그러한 평화
를 느꼈다. 그러나 노트르담이나 이번 부르고스 대성당과 같이
소위 이름난 대성당들은 달랐다. 이런 곳들은 성당이라기보다는
하나의 거대한 박물관 혹은 미술 전시관이다. 작은 성당에서 느
낄 수 있는 경건함, 신성함과 평화로움은 없다. 상당히 아쉬운 점
이었다.

대충 설명을 들으며 돌아봐도 1시간 반이 걸리는 성당같이 생
긴 큰 박물관을 떠났다. 구글 지도를 켜고 작지만 마음이 편안해
질 만한 성당을 찾는다. 순례자에게는 대성당의 웅장함보다는 소
성전의 소박함이 맞는다. 오늘 저녁은 그곳에서 미사를 참례해야
겠다.

매일이
행복할
필요는 없다

주인공 커플은 모든 역경을 헤치고 사랑을 쟁취한다. 사랑을 쟁취
한 커플은 열정 넘치게 키스를 하고, 커플의 뒤로는 석양이 진다.
흔한 영화의 클리셰적인 해피엔딩 신이다. 내가 개인적으로 별로
좋아하지 않는 장면이기도 하다.

주인공 커플이 그 모든 고난을 함께 이겨내고 해피엔딩을 맞이
한다 해도 그것은 오직 그 장면의 엔딩일 뿐 인생의 엔딩이 아니
다. 행복하게 오래오래 살았습니다 식의 엔딩은 철부지 어린아이
들에게나 먹힐 만한 클리셰일 뿐 사실 그 커플이 앞으로 맞이할
시련은 더욱 많을 것이다. 집 구하기, 결혼식 스드메, 육아, 집안일
분배, 이직, 노후 대비 등등. 다만 인생의 제일 아름다운 부분 하나
를 뚝 떼어 사람들에게 보여주기에 사람들은 마치 그 장면이 인생

의 마지막인 것인 양 열광한다. 아마 그들 인생에도 그런 장면이 하나쯤은 있었을 텐데도 말이다.

오늘 아침 날씨는 흐림. 비가 오지는 않을까 하고 걱정하며 알베르게를 나섰다. 한국처럼 이곳의 일기예보는 완전히 맞는 것은 아니지만 그래도 믿을 만하다. 오늘은 20km를 걷는다. 언제부터 20km가 부담없는 거리가 되었는지는 몰라도 가볍게 걸을 수 있는 거리라 생각해 쉬어가며 걸었다. 오늘의 길은 도로를 따라 위치한 작은 마을을 여럿 거치는 길이다. 잘 정돈된 길이지만 재미는 없다. 특히 오늘처럼 흐린 날에 그렇다. 보이는 것이라고는 도로를 쌩쌩 달리는 차들과 마을을 지나면 곧바로 보이는 다음 마을의 흐릿한 실루엣과 이제는 흔한 풍경이 되어버린 광활한 대지뿐이다.

어제는 힘들었지만 풍경 보는 재미라도 있었는데 하고 도로를 걸으며 생각했다. 순간 사치스럽다는 생각을 했다. 쳇바퀴 돌듯 살아가는 한국에서의 삶에서 고작 몇천 킬로미터 벗어났다고 매일의 영

: 오늘도 날은 흐렸다.

광을 기대하는 것은 이치에 맞지 않는다. 한국에서는 매일 똑같은 루트를 밟고, 똑같은 밥을 먹으며, 똑같은 일상 속에 살았다. 그럼에도 불구하고 불만족은 없었다.

지금 걷는 지방은 팔렌시아 지방이다. 2학년 때 수업을 같이 듣게 되어 지금까지 연락하는 헥터의 고향이다. 헥터는 내가 팔렌시아 지방의 인상을 묘사하니 그것이 바로 자신의 일상 속에 있던 풍경이라 했다. 나는 감탄해 마지않던 파리 풍경을 보고 티피컬하다 표현한 파리의 택시운전사를 아직 잊지 않았다. 처음엔 감탄하며 걸었던 이 풍경을 걸은 지 아직 일주일밖에 되지 않았는데 나는 이 풍경을 어느 새 지겹다 생각했다. 마치 파리의 택시운전사가 된 기분이다.

매일이 장관일 필요는 없다. 처음에는 감탄했던 이 드넓은 평야

: 같은 풍경을 끝없이 걷는 일은 피로감을 선사한다.

도 일주일이면 질리기 마련이다. 푸아그라를 끝내주게 잘 다루던 부르고스의 어느 바에서 푸아그라 메뉴를 여러 개 시켰다. 푸아그라를 송아지 안심과 함께 매칭한 것, 푸아그라를 통째로 구워 망고잼이 발린 구운 빵과 내놓은 것, 푸아그라와 새우. 모든 조합이 완벽했지만 세 번째 접시를 먹으니 질려 더 이상 먹고 싶지 않았다. 늘 좋은 것을 입고 먹고 보면 더할 나위 없이 좋겠지만 사막 위 오아시스처럼 값지지는 않을 것이다.

겨울 까미노는 한 치 앞이 안 보이는 안개 속에서 진흙탕을 걷고, 걸음이 휘청일 정도의 맞바람과 맞서고, 방수 재킷따위는 뚫어버리는 비를 맞고, 비와 바람으로 얼어붙은 손을 호호 불어가며 남산보다 조금 작은 언덕을 오르는 길이다. 그럼에도 불구하고 그렇게 산 위를 올라가서 뒤를 보면 갈 길은 멀지만 그 순간만큼은

: 그러나 가끔씩 보이는 표지판은 나의 길이 그르지 않았음을 보여준다.

온 세상을 다 가진 듯하다. 하루 중 단 몇 분도 안 되는 시간을 위해 이 먼 길을 걷는가 싶다. 마치 해피엔딩 몇 분을 위해 한두 시간을 긴장감 넘치게 끌어가는 영화처럼 말이다.

소확행이라는 신조어가 요즘 핫한 키워드다. 소소하지만 확실한 행복이라는 의미이다. 까미노 위에서의 행복은 소소하지만 확실하지는 않다. 이번에 오르막이 있으면 다음번에는 내리막이 필연적으로 존재하고, 최고봉에서 세상을 내려다보는 일 등의 누구나 예측할 수 있는 행복은 흔하지 않다. 하지만 걷다보면 예측할 수 없었던 행복이 급습하는 곳이 바로 이곳, 겨울 까미노이다. 진흙탕을 걸을 때는 어느 순간부터가 단단해진 땅이 행복이다. 안개 속을 걸을 때는 이 세상에서 오롯이 홀로 된 기분을 느낀다. 비를 맞으며 걷다가 갑자기 그쳐 하늘을 바라보면 파란 하늘이 어디선가 얼굴을 내민다. 까미노 위의 행복은 예고 없이 찾아온다. 무뚝뚝히 길을 걷다 갑자기 드는 행복감은 소소하진 않지만 확실하지도 않은 행복 그대로의 행복이다.

출발한 지 얼마 되지 않아 길가에서 고양이 한 마리를 보았다. 가까이 와서 애교 넘치게 얼굴을 비벼댄다. 근처에 있던 다른 고양이들도 와서 나를 둘러싼다. 심장이 두근댄다. 30분을 놀아주다 나왔다. 목적지에 도착한 후에 바에서 초리조 또띠야와 맥주 한 잔으로 간단한 점심을 먹었다. 지친 발걸음을 달래주는 오늘의 첫 끼이다. 초리조 또띠야는 기대를 안 했는데 무척 맛있었다. 점심을 먹고 바에서 나왔다. 마침 앞으로 지나가던 한국인 형님을

: 길을 걷다 보면 작은 행복들을 만나게 된다. 의도했던 행복은 아닐지라도.(왼쪽)
매일의 작은 행복(오른쪽)

만났다. 오늘 묵을 알베르게에서 조리가 불가능하다고 알고 있었는데 가능하단다. 오늘 저녁은 오랜만에 삼겹살을 구워 먹어야지. 오늘도 이렇게 행복은 나를 급습했다.

내일도 모레도 심지어는 글피에도 평야는 끝나지 않는다. 늘 같은 풍경 같은 하늘이겠지만 투덜대지 않으련다. 인생의 모든 순간이 하이라이트는 아니고 매일매일이 행복일 필요는 없기에. 그리고 행복은 언제나 우리를 놀래키는 것을 좋아하기에.

 : 프로미스타 → 카리온 데 로스 콘데스

따라잡기를
내려놓다

하늘 위에서 까미노와 그 주변을 바라본다면 퍽 흥미롭겠다. 희고 빨갛고 노랗고 검은 점들은 검은 도로를 빠르게 달린다. 그 옆에는 작은 점들이 달팽이마냥 느릿느릿 움직인다. 방향은 비슷해 보인다. 느린 점들은 제각기 다른 시간에 같은 곳에서 나와 중간중간 멈추기도, 서로를 추월하기도 하면서 해가 서서히 내려갈 무렵 비슷한 곳으로 모여든다. 하늘 위 관찰자가 있다면 빠르게 갈 수 있는데 저 점들은 왜 굳이 줄지어 저렇게 천천히 움직일까 하는 생각이 들지도 모르겠다.

빠름에 집착하곤 했다. 초등학교 때는 빨리 중학생이, 중학교 때는 고등학생이, 고등학생 때는 대학생이 되고 싶었다. 학창시절 시험을 몇 분 빨리 푼다고 하여 가산점을 주는 것도 아닌데 문제를 빨리 풀어버린 날에는 기분이 좋았다. 사랑하는 이와 만날 날을 기다리던 때는 빨리 안 가는 시간이 야속했다. 꿈에서라도 어서 그녀를 만나려고 야행성인 내가 열 시에 잠자리에 들었다. 꿈에는 늘 그가 나와 조금이나마 빨리 만날 수 있었으니까.

하지만 재수를 결정한 이후 내 시계는 가끔씩 멈추었다. 재수 일 년, 휴학 한 학기, 군대 이 년, 다시 휴학 일 년. 그렇게 살다보니 제일 빠른 내 또래들보다 무려 4년을 느리게 살았다. 사실 스무 살에는 대학을 가야 하고 적어도 스물 여섯에는 졸업하여 직장을 가져야 한다고, 혹은 적어도 뭐라도 하고 있어야 한다고 그 누구도 정해놓지 않았다. 하지만 앞서 나가고 있는 친구들을 볼 때마다 짐짓 괜찮은 척 해도 괜히 가슴 한 켠이 무거워지는 건 어쩔 수 없었다. 분명히 고등학교 때까지 제일 빠른 것은 나였는데.

빠른 것을 좋아하지만 이곳에서는 어쨌든 느리게 가야 한다. 오늘처럼 도로와 평행하게 걸을 때는 새삼 차가 얼마나 빠른지 느끼게 된다. 지평선을 보며 30분쯤 걸리겠지 하고 있으면 내 옆을 지나간 차는 그 생각이 끝나기도 전에 그 지평선에 가 있다. 허무하다는 생각조차 들지 않을 정도로 빠르다. 인생으로 따지면 9살 때 미적분을 마스터한 천재 폰 노이만을 보는 느낌이랄까.

반면 어떤 것들은 그래도 힘을 내면 따라잡을 수 있을 것 같다. 갈 길이 멀어 오랜만에 아침 일찍 출발했다. 남들이 모닝커피를 내리고 있을 때쯤 배낭을 지고 알베르게를 나섰다. 동녘에는 붉은 기가 돌고 있었다. 건물에 가로막힌 아래쪽 하늘이 보고 싶어

: 경이로운 일출은 아침 걸음을 느리게 한다.

서 발걸음을 재촉했다. 다소 느긋해진 마음과 연이어 흐렸던 날씨 때문에 일출을 길 위에서 보는 것은 오랜만이라 설레기 시작했다. 도로로 나가면 일출을 잡을 수 있을 것 같아 서둘렀지만 아쉽게도 마을을 빠져나가자 붉은 기는 어느 새 사라져 있었다. 나는 해 뜨는 속도를 따라잡지 못했다.

부쩍 추워졌는지 길을 걷다보니 양쪽 길가 풀에 하얗게 서리가 내린 것이 보였다. 오늘 첫 마을까지는 17km라는 꽤 긴 거리를 걸어야 한다. 3시간쯤 걸릴 거리지만 나는 빠른 것이 좋으니까 빠르게 걸었다. 아마 빠르게 도착할게다. 어쩌면 오늘 목표한 30km를 넘어 40km를 걸을 수 있을지도 모른다. 양쪽으로는 익숙한 풍경이 제법 빠르게 지나간다. 하얗게 언 풀이 제 색깔을 찾을 무렵 첫 도시에 도착했다. 시간도 점심 시간에 가까웠고 3시간 동안 쉬지 않고 걸었기에 좀 오래 쉬었다. 1시간 10분쯤 쉬다가 다시 걸으니 내가 나올때 커피를 내리고 있던 마일리스가 앞에서 걷고 있는 것이 보였다. 반가운 마음에 따라잡으려 했지만 마일리스는 빨랐다. 이번에도 나는 마일리스를 따라잡는 데에 실패했다.

오늘 벌써 따라잡기를 두 번이나 실패했다. 첫날 제 페이스대로 걸어야 한다는 것을 깨달았다. 그런데도 앞에 누군가가 있으면 발걸음이 괜히 빨라지는 것을 보면 아직 머리로는 이해해도 몸으로는 실천하지 못하고 있다. 다만 적어도 이제 내가 빠르지 않다고 분해하지 않음에 만족한다. 이만 해도 수일간 끝이 없는 메세타 고원을 걸으며 얻은 큰 수확이다.

내 글을 보고 많은 이들이 길을 걷는 내게 말한다. 길을 끝내고 절간에 들어가거나 수도원에 들어가는 게 아니냐고. 농담조로 사람일은 모르니 그럴 수도 있다고 대답하긴 하지만, 그리고 분명 이 길에서 하나씩 나도 모를 것들을 내려놓고는 있지만, 아

: 누군가의 뒤를 보며 걷는 것과 홀로 걷는 것 사이에는 큰 차이가 있다.

직 모든 것을 내려놓기에 내 욕심은 너무 크다는 것을 잘 알고 있다. 하지만 확실히 속도에 대한 욕심은 어느 정도 사그라들고 있는 것 같다.

 : 카리온 → 모라티노스

무지개 끝에는
보물이
없단다

멀리까지 가고 싶은 욕구가 있었다. 이제는 고전이 되어버린 영화 〈포레스트 검프〉에서 검프가 뛰는 장면을 볼 때 내 가슴은 함께 뛰었다. 톨스토이의 『사람에게는 얼마만큼의 땅이 필요한가』를 읽었을 때는 초등학생이었다. 그때 느꼈던 것은 주인공 파흠의 욕심이 얼마나 큰 화를 자초했는지였다. 흔한 교훈적인 생각을 했다고 기억한다. 하지만 세월이 지나고 고등학생이 되어 그 이야기를 다시 접하자 광활한 대지에 대한 욕구가 되살아났다. 펄 벅의 『대지』를 읽었을 때도 마찬가지였다. 해가 지는 땅. 그곳까지 갈림 없이 하나로 이어진 대지. 한국에서는 쉬이 볼 수 없는 장면이다. 이러한 장면 속에 내가 있기를 바랐다.

　메세타 고원이 끝도 없이 펼쳐진 길을 걷는 오늘, 내 욕망을 실현하기 좋은 날이라 생각했다. 마침 동행은커녕 같은 알베르게에 묵던 사람도 없었다. 엊저녁 일찍 잔 덕에 아침 일찍 짐을 쌀 수 있었다. 정도 넘게 친절하던 알베르게 호스트를 위해 유례없이 팁을 남기고 이른 아침부터 평야를 향해 뛰어들었다.

풍경은 달라질 것이 없었다. 하지만 실망스럽지는 않았다. 딱 죽기 직전까지 걸어보자는 것이 오늘의 목적이었다. 26년 살아오며 가졌던 막연한 소원이다. 포레스트 검프처럼, 파홈처럼 아무 생각 없이 이 대지를 걷길 바랐다. 물론 텐트가 없기에 어느 마을에선가는 멈춰야 한다. 하지만 그 마을의 이름은 아직 정해지지 않았다.

길을 걷고 걷고 또 걸었다. 노자의 말, '큰 길을 따라가기는 쉽다. 그러나 사람들은 샛길로 들어서기를 좋아한다.'가 생각나게 만드는 길이었다. 노자는 샛길은 구렁텅이로 이끄는 길이라 했다. 하지만 내 앞에 난 길은 모두 샛길인걸 어떡할까. 걷다 보니 길은 오늘도 나에게 선택을 요구했다. 사아군이 저 멀리 보이는데 이정표는 오른쪽 숲길로 꺾어가길 권유했다. 큰 길과 샛길이었다. 샛길로 빠져들기 좋아하는 인간답게 샛길로 걸었다. 아니나 다를까 숲을 휘둘러 나가는 길이다. 그러나 잠깐 늦으면 어떠랴. 오늘의 목표는 도시가 아닌 나 자신이다. 샛길로 빠져 그곳의 끝에 있던 벤치에서 목을 축였다.

10km를 날 듯이 걸어 1시간 반 만에 사아군에 도착했다. 그러나 아침 첫 걸음을 걷듯 전혀 지치지 않았다. 맥주와 하몽 샌드위

．
．
．

며칠째 똑같은 평야만 걸었다.

치로 이른 점심을 챙겨먹고 30분도 쉬지 않고 사아군을 떠났다. 뒤이어 있던 칼자다 델 코토, 벨시아노스, 약 27km 지점인 엘 부르고까지도 지친 기색 없이 걸었다. 신기한 일이다. 불과 이틀 전 프로미스타에서 까리온까지의 20km 짜리 길을 걸을 때는 까리온에 도착할 때쯤이 되자 발이 아프고 힘이 빠져갔다. 길은 오늘과 같은 평야였다. 하지만 목표 지점을 정해두지 않은 오늘, 나는 27km 까지도 힘들이지 않고 걷고 있었다.

엘 부르고에 도착했다. 가이드북에서 오늘의 목표로 설정해 둔 곳이다. 마을은 조그맣고 평화로웠다. 걷다 보니 길가에 바로 문을 열어둔 알베르게가 보였다. 오늘은 이미 27km를 걸었고 가이드북에 따르면 공식적으로 나는 쉴 자격이 있었다. 하지만 나는 마을을 빠져나와 계속 걸었다. 지쳐 쓰러질지언정 오늘의 목표를 포기하고 싶진 않았다. 다음 도시까지는 13km가 남았다.

초반에는 날 듯 걸었던 13km가 꽤 긴 거리라는 것을 깨닫는 데는 그리 오래 걸리지 않았다. 어느 순간부터인가 급속도로 힘이 빠져가는 것을 느꼈다. 슬금슬금 비도 내리고 있었다. 결국 중간에 오늘의 두 번째 휴식을 갖기로 했다. 두 번째 휴식 장소는 고맙게도 비를 가릴 만한 천장이 있는 정자였다. 담배를 한 대 태우고 물을 마시며 비가 소나기이길 기도했다. 다행히 비는 15분도 되지 않아 그쳤다. 20km 만의 짧은 휴식을 끝내고 다시 걸었다.

휴식 후 내가 걷던 길이 올바른 길이 아니었음은 그 다음 마을이 되어서야 알 수 있었다. 내가 쉬던 정자는 십자로에 있다. 정방

향으로 가던 나는 잠깐의 휴식 후에 어느새 직각으로 꺾인 길을 가고 있었다. 길이 많은 마을로 들어가면 마을에는 으레 올바른 길을 가르쳐주는 화살표가 있다. 그리고 순례자를 환영하는 조개 문양이 마을 곳곳에 새겨져 있다. 그러나 이번 마을은 달랐다. 화살표도, 조개문양도 없었다. 이미 20분여를 걸어온 후에야 잘못된 길을 왔다는 것을 알 수 있었다.

돌아가야지 별수 있나. 두 갈래 길 중 험한 길을 택한 것도 아니고 오직 한 방향의 길밖에 없었는데도 아예 잘못된 길을 택한 것은 나의 우둔함 때문이다. 부족한 나 자신을 탓하며 다시 20분을 걸어 정자에 도착했다. 정자는 돌아온 탕아를 맞이하는 아버지처럼 아까 그 모습 그대로 나를 기다리고 있었다. 다만 내 다리의 고

: 메세타에서는 가끔씩 보이는 나무 한 그루가 반갑기만 하다.

통은 이차함수 그래프처럼 높아져만 갔다.

한 시간이 더 흐르고서야 드디어 다음 마을인 렐리에고스에 도착했다. 죽을 것 같았지만 아직 죽지는 않았다. 객사가 목적은 아니지만 객사하기 전에 더 걸을 수 있을 것 같았다. 하지만 인간적인 나약함은 이곳에서 쉴까 하는 욕망을 부추겼다. 우리가 무언가를 시작하기도 전에 꺼려진다면 이것이 과연 우리 몸으로부터의 갈급한 신호인지, 나약함 때문인지를 고려해 보아야 한다. 아침 헬스를 등록했지만 오늘 나가면 왠지 아플 것 같은, 이불 속에서의 생각. 그 덕에 헬스장 등록비를 거의 대학 한 학기 등록금만큼 날렸다.

마을 밖으로 한 발짝 더 내밀었다. 마을을 벗어난 이상 이 한 발짝 이상의 것이 가능할 것 같다면 지금까지 힘들다 느낀 것은 인간적인 나약함 때문이다. 침대 밖으로의 한 발짝이 힘들지 집에서 헬스장으로 향하는 한 발짝, 벤치 프레스 첫 세트의 첫 회가 힘든 것은 절대 아니라는 교훈을 그간 날린 헬스장 등록비를 통해 비싸게 얻었다. 역시 마을을 벗어난 발은 더 이상 나약하지 않았다.

그런데 마을을 벗어나고 5분도 안 되어 힘이 빠진 발목은 자갈을 밟아 접질리고, 비는 쏟아졌다. 길가에는 벤치 몇 개만 덩그러니 놓여 있을 뿐 아까의 중간 휴식 장소처럼 비를 피해 쉴 곳도 없었다. 욕이 절로 나왔다. 이는 하늘에 대한 욕이 아닌 스스로의 몸 상태를 파악하지 못한 나 자신에 대한 욕이었다. 어쩔 수 없이 계속 걸었다. 어차피 비는 오는데 쉬어가며 두 시간 반 동안 비를 맞을 것인지, 한번에 쭉 가서 한 시간 반 동안 비를 맞을 것인지를 선택하는 문제는 어렵지 않았다. 이때 중요한 것은 시간이 아닌 날씨다.

물에 빠진 생쥐꼴이 됐을 무렵 비가 드디어 사그라들었다. 발목은 다시 한 번 더 접질려 만신창이였다. 절뚝거리며 걸었다. 비가 그치자 이제야 주변을 둘러볼 여유가 생겼다. 다리 위에 올라 숨도 돌릴 겸 주변을 돌아보았다. 빌어먹을 똑같은 평야, 똑같은 도로. 나아진 것은 여전히 없고 나는 아직 보이지도 않는 목적지를 향해 걸어야 한다. 45km를 걸었다고 핸드폰이 말해준다.

자신을 포함한 모든 것을 저주하던 그 순간 나의 시선을 강탈한 것은 무지개였다. 심지어 무지개의 끝을 보았다. 무지개의 끝에는 보물이 묻혀져 있다는 전설이 있다. 그만큼 전설적인 무지개의 끝이 내 앞에 나타났다. 저곳을 파보면 금괴가 나올까, 아니면 시대에 맞게 석유가 쏟아질까 하는 철없는 생각을 잠깐 했다. 갈 길은 아직도 멀다. 다음 마을까지 무려 4km를 더 가야 한다. 여느 때 같으면 40분도 안 걸려 갔을 거리지만 지금은 1km가 그렇게 멀게 느껴질 수가 없다. 그럼에도 불구하고 걸음을 멈추고 무지개를 멍하니 바라보았다. 그 끝에 있는 금괴라도 보듯이.

물론 로또를 세 번 정도 맞을 운명의 누군가가 그 끝만 따라다니며 작정하고 판다면 모를까 무지개 끝의 보물은 없다. 그러나 산티아고 순롓길은 그 끝에 뭔가 대단한 것이라도 있는 듯이 사람들을 끌어 모은다. 매년 수만 명의 순례자들이 이 길을 걷는다.

무지개 끝 보물은 없더라도, 무지개를 보는 일 자체가 나에게 큰 선물이었다.

사실 나도 무지개 끝의 보물을 좇는 소년처럼 이 길에 섰다. 끝없이 펼쳐진 이 길의 끝에 도달하면 천지가 개벽하며 새로운 나 자신이 주어질 줄 알았다. 그러나 순롓길을 반 이상 걸은 지금 나는 물론 가끔 마주치는 그 누구에게도 변화는 없다. 하지만 그 모두가 본연의 모습에 충실함을 느낀다. 나누는 자는 나눈다. 받는 자는 받는다. 예민한 자는 예민하다. 미친 자는 미친 자이다. 경쟁에 익숙한 자는 타인을 제치려 노력하고 느긋한 자는 느긋하다. 본연의 모습은 바뀐다기보다는 오히려 강화된다. 앉은뱅이가 일어나고 장님이 눈을 뜨는 등의 기적은 없다. 그러나 그 속에서 대다수의 이들은 불편함을 느끼지 못한다. 오히려 본질대로 행복하게 이 길을 걸어나간다.

뱁새가 황새를 따라가려 하면 다리가 찢어지지만 황새가 뱁새의 날갯짓을 따라하려면 날개가 찢어질 것이다. 본연의 모습대로 살아가는 것이 제일 행복하다. 본연의 모습을 버리고 사는 것은 맞지 않는 신발을 신은 양 불편할 수밖에 없다. 하지만 사회는 거칠고 틀에 박혀있기 때문에 본인의 본질을 잊어버리기 쉽다. 바로 그것을 산티아고 순롓길은 사람들에게 일깨워주는 것이 아닐까?

산티아고까지의 여정도 어느덧 반이 넘게 지나갔다. 서울에서 부산까지보다 훨씬 먼 거리를 걸었다. 그 간 내가 무엇을 찾을 수 있을 것인가, 왜 이 길을 내가 걷고 있는가에 대한 생각을 했었다. 날이 갈수록 내가 전에 보지 못했던 무언가를 찾을 수 있다는 확신은 사라지는데, 내 자신에 대한 이해는 깊어져만 간다. 결국 이

길의 끝에 서면 내가 찾던 무언가는 사라지고 말 수도 있다는 두려움 역시 있다. 그러나 한 발짝 물러나서 이 길을 걷는 모든 순간에 집중하고 감탄하는 것도 나쁘지 않겠다는 생각을 처음 해보았다. 쌍무지개의 끝은 그 끝에 보물이 없더라도 보는 그 자체로 숭고하고도 아름답기에.

 : 모라티노스 → 만씨야

돌덩이
묻기

길고 긴 교장 선생님의 훈화가 지루했던 초등학교 시절, 애국조회 시간에 나는 운동장을 파곤 했다. 주변의 돌멩이 하나를 집어들고 박혀 있는 돌을 하나씩 파다보면 시간 가는 줄 몰랐고 어느새 파낸 돌들은 수북히 옆에 쌓였다. 그렇게 아기 주먹만한, 혹은 바둑돌 만한 돌 두세 개를 파낼 때쯤이 되면 으레 담임선생님의 따끔한 꾸지람이 들려왔고, 그 따끔한 꾸지람에 파냈던 돌을 모두 도로 묻으면 말씀이 유난히 길던 우리 교장 선생님의 훈화가 끝나곤 했다.

초등학생 치고 키가 컸던 나는 매번 우리 반 줄 맨 뒤에서 그 다음 주에도, 또 그 다음 주에도 땅을 팠다. 그 지난주에 묻은 돌 중 제일 늦게 묻은 돌은 금방 파낼 수 있었지만 맨 아래 있는 제일 처음 묻은 돌까지 파기 위해서는 꽤나 힘과 시간이 들었다. 한 주 간 얼마나 많은 발들이 그 돌 위로 지나갔을까. 축구화 한 발짝 운동화 한 발짝이 그 위를 즈려밟고 지나갈 때마다 돌은 점점 깊이 묻혀 갔을 것이다.

어느 날 축구를 하다 돌부리에 걸려 넘어져 다친 적이 있다. 내가 돌을 묻은 그때 그 자리는 아니었지만 왠지 누군가가 내가 어설피 묻은 돌에 걸려 넘어지지는 않았을까 하는 생각이 들어 그 이후부터는 땅 파내기를 그만두었다. 그때의 기억 탓이었을까, 나는 내 마음 속의 돌들도 깊이 묻는 버릇이 생겼다. 누군가가 내 마음 속 돌부리에 걸려 넘어지게 하고 싶지 않았기 때문이었다. 화

: 길을 가다 마주치는 누군가의 일상은 내가 길을 걷는 것 역시 이들과 다르지 않은 일상임을 깨닫게 한다.

가 나도 꾹 참았고, 기뻐도 꾹, 슬퍼도 꾹꾹 참았다. 신중히 마음속 돌들을 묻었지만 가끔은 채 다 묻지 못한 돌부리가 튀어나와 사람들에게 상처를 줄 때도 있었다. 그때마다 나는 좀 더 돌을 깊이 묻지 못한 나를 탓하며 어쩌다 걸려 넘어진 사람들에게 미안한 마음을 가졌다. 그러기를 십수 년, 나는 슬퍼도, 감동 받아도, 기뻐도 덤덤한 호수 같은 사람이 되었다.

동시에 나는 겁쟁이가 되었다. 나를 아는 사람들은 이게 무슨 말이냐 싶을 수도 있겠다. 하지만 지금까지 내가 용감히 나섰던 일에 죽고 사는 문제가 걸린 적은 없었다. 다른 사람이 상처를 받을 만한 일도 없었다. 그럴 만한 욕망과 생각은 혹시나 튀어나와 타인들 혹은 나에게 돌이킬 수 없는 상처를 입힐까 깊이 묻어두기 때문이다. 하지만 가라앉은 욕망과 생각들은 속 안에서 썩어 문드러져 스스로를 해했다.

이곳에 와서는 한창 묻혀 있는 돌을 파내는 일에 열중하고 있다. 길을 걸으며 벅차오르는 감정을 그대로 표출하고, 나를 모르는 사람들에게 내 본연의 모습을 내보이며, 가고 싶으면 가고 멈추고 싶으면 멈춘다. 행복하다. 겹겹이 쌓인 사회적 가면과 조미료처럼 약간의 거짓을 뿌리고 살던 한국 사회에서는

: 매일의 일용할 양식이 되어준 또띠야

언제나 가슴 한편이 답답했다. 답답함이 극에 달할 때면 아무도 나를 모르는 곳으로 훌쩍 떠나고 싶다는 생각을 했다. 그리고 올해 드디어 그렇게 되었다. 적어도 3km 반경에는 아무도 없을 것 같은 평야를 걸으며 마음껏 소리치고, 노래를 부르고, 미친 듯 웃기도 해본다. 길을 가다 마음에 드는 바가 있으면 아침부터라도 들어가 맥주 한 잔과 또띠야를 시킨다. 어쩌다 마주치는 낯선 이가 있으면 나 자신의 가면 없는 모습을 내보인다.

쉬운 일이지만 쉽지 않았다. 분명 주변엔 아무도 없지만 홀로 걸을 때의 침묵을 깨는 것은 어려운 일이었다. 모두의 앞에 에스프레소와 카페 콘 레체가 놓여 있는 오전 8시에 암스텔 맥주 큰 잔을 시키는 것 역시 주정뱅이로 보이기 십상이다. 가면 없이 나를 내보여 본 적이 드물기에 가면을 벗으면 알몸으로 상대를 대하는 기분이 든다. 동시에 얼마나 내가 주변의 시선에 얽매여 있었나 하는 것을 느낄 수 있는 계기가 되었다. 가면을 오랜만에 벗으니 시원한 바람이 얼굴을 스쳤지만 동시에 그간 너무 오래 묻혀 있었던 피폐한 맨 얼굴이 드러나 안타까웠다. 점점 내 안의 돌을 파냄과 동시에 돌을 묻어야 한다는 강박, 가면을 써야 한다는 강박에서 해방되려 노력중이다.

오늘의 길은 평탄한 작은 자갈밭들이 이어진 길이었다. 돌들은 땅 위에 그대로 드러나 있다. 하지만 용서의 언덕 내리막과 달리 걷기에 어렵지는 않았고 어제 무리한 덕에 덜렁거리기 시작한 내 왼쪽 발목에게도 나쁘지 않은 길이었다. 문득 이런 생각을 했다.

: 세 번째 대도시인 레온에 도착했다.

돌이 길가에 그대로 노출되어 있어도 누군가를 해하지 않을 수도 있다고. 오히려 자갈 위를 밟고 다지다 보면 어느새 돌들이 적당한 깊이로 들어가 예쁜 자갈길로 변해 있지 않겠냐고.

 : 만씨야 → 레온

맛집에 대한
고찰

백옥 같은 배우와 가수들을 볼 때도 호불호가 갈리는 이 세상에
맛있는 음식만큼 모두에게 호감을 불러일으키는 것이 있을까. 한
국에서 이 지역 저 지역 쉴 새 없이 돌아다니는 것이 업이다 보니
맛집 탐방은 내게 허락된 몇 안 되는 취미 중 하나였다. 마라톤 수
업을 마치고 근처 맛있다는 집에서 점심 또는 저녁을 때우면 다시
다음 지역으로 이동할 힘이 나곤 했다. 그러기를 수년 간 하다 보
니 백종원 씨 같은 미각을 갖추지는 못했어도 범인들에게 먹힐 만
한 웬만한 서울 맛집은 어느 정도 꿰고 있게 되었다.
　한정적인 지역이 아닌 서울 전역, 때때로는 경기도까지 갈 일이
있다 보니 어느 새 내게 새로운 지역은 새로운 맛을 뜻하게 되었
다. 그렇게 부푼 가슴을 안고 이번 여행길에 올랐다. 제 아무리 서

울에 전 세계 음식이 모두 모여 있다 할지언정 그 모든 음식이 현지 식재료로 현지의 셰프가 만든 요리에 비할 수 있을까.

에스까르고의 낭만이 있던 파리의 Aux Artistes, 참 많은 생각을 하게 만들었던 비아리츠의 L'entre deux, 내게 첫 타파스 경험을 주었던 팜플로냐의 Bar Gaucho, 타파스의 신세계를 보았던 부르고스의 La quinta del monje. 모두 하나같이 뛰어난 맛집들이었다. 적어도 나 같은 외국인에게는 그랬다. 충분히 이국적이면서 입맛에 맞았다.

여태껏 대도시에서는 늘 미각이 만족스러웠기에 이번 도시 레온에서도 큰 기대를 했다. 절뚝거리며 도착해 서둘러 짐을 풀고 눈만 조금 붙인 후에 절뚝거리며 맛집 탐방에 나섰다. 벼르고 벼르던 스페인식 수육 꼬시도를 먹을 생각이었다. 그런데 레스토랑에 가보니 저녁에는 수육을 안 한다고 해서 내일로 예약을 잡아놓았다. 대신 타파스 투어를 하기로 했다. 이미 해외 잡지사 칼럼과 여러 가지 경로로 조사는 끝난 후였다. 점 찍어둔 타파스 바를 하나씩 돌았다.

첫 번째 바는 돼지 귀 조림이 있다던 Napoles였다. 꽤나 변두리에 있었음에도 북적이던 바에는 역시나 모두가 앞에 돼지 귀 조림과 와인 혹은 맥주를 늘어놓고 있었다. 나 역시 돼지 귀 조림과 맥주 한 잔을 시켰다. 삼삼한 간이 배어 있는 쫄깃한 돼지 귀와 오독거리는 연골의 조화가 좋았다. 신기한 음식이긴 했지만 맛은 기대가 컸던 탓인지 기대만큼 만족스럽진 않았다.

: Napoles의 돼지 귀 조림

두 번째 바는 모든 추천선에 올라있던 Jamon Jamon이었다. 트립어드바이저는 이 바를 레온의 타파스 바 중 제일로 내세우고 있어 제일 기대하던 곳이기도 했다. 하몽과 초리조를 시키고 역시 맥주 한 잔을 시켰다. 맛있는 하몽과 초리조긴 했지만 이번에도 썩 만족스럽지는 않았다. 부르고스에서 오를 대로 오른 타파스 바에 대한 기대가 떨어지는 소리가 들렸다.

세 번째 바부터는 현지인들이 많이 모여 있는 바를 가기로 했다. 생 마르틴 광장 쪽으로 이동하며 북적이는 아무 바나 찾아 들어갔다. 세 번째 바의 치즈버거. 기름진 쉑쉑과 다운타우너에 길들여진 나에겐 인상 깊지 않았다. 가성비는 좋다. 네 번째 바의 스페인식 마늘수프 소파 드 아호. 한국의 내장탕과 비슷한 맛과 생김새지만 뭔가 부족하다. 다섯 번째 바의 안초비 핀초와 틴토 데 베라노. 비린내 없이 잘 숙성시킨 안초비는 부드러웠지만 이 역시 감탄할 정도는 아니다.

실망이 컸다. 그런데 돌아오는 길에 조금 다른 생각이 들기 시작했다. 타파스는 스페인 사람들에게는 일상이다. 한국에서 점심시간이 되면 밥집에 들어가 된장찌개를 먹고 제육볶음을 먹듯이

:

그다지 만족스럽지 못했던 여러 바들

이들은 저녁이 되면 바에서 타파스와 와인 또는 맥주를 집어들고 이야기 나누기를 즐긴다. 타파스의 종류는 무척이나 다양하지만 몇몇 실험적인 바를 제외하고는 대개 비슷한 것 같다. 한국 밥집에서 된장찌개와 제육볶음은 평범한 메뉴지만 분명 맛집에서는 있는 메뉴다. 그렇지만 외국인이 처음 접할 된장찌개와 제육볶음은 평범한 메뉴가 아닌 특이한 어떤 메뉴일 것이다. 관광객 입장에서는 특이하고 다양한 메뉴를 많이 먹어보고 싶지만 현지인들은 익숙한 맛 중 최고의 맛을 원한다. 어쩌면 오늘 내가 먹은 하몽 한 조각은 이들에게는 감히 다른 곳에서 먹는 하몽과는 비교할 수 없이 맛있는 하몽 한 조각일 수도 있겠다. 다른 바의 소파 데 아호와는 달리 오늘 내가 먹은 소파 데 아호가 쇠고기를 푹 삶아 잘 우려낸 최고의 소파 데 아호일 수도 있겠고. 이런 생각이 들면서 다시 먹었던 타파스를 돌아보게 되었다. 하나도 빠짐없이 산뜻했다. 화려하지는 않았지만 맛있었다. 나의 타파스 투어는 실패하지 않았다.

땡땡해진 배를 안고 돌아왔다. 별 수확은 없었지만 내일은 예약 없이는 먹기 힘든 스페인식 수육을 먹겠다는 기대에 가득 차 잠자리에 들었다.

꼬시도의 날이 밝았다. 느긋하게 늦잠을 자고 돌아다니다 보니 현지인들이 줄 서있는 추러스 가게가 보였다. 산티아고 순렛길 단톡방에서 추천받은 곳이기도 하다. 발바닥만한 추러스가 고작 하나에 15센트밖에 안 한다. 20분을 기다려 먹은 추러스는 뜨겁고 바삭했다. 환상적인 가성비와 맛이었다. 단지 추러스를 먹었을 뿐인데 꼬시도에 대한 기대가 다시 하늘을 찔렀다.

시내를 돌아다니며 추러스로 부른 배를 잠재우다 오늘 같이 꼬시도 식당에 가기로 한 K형을 만나 꼬시도를 먹으러 갔다. 첫 손님인지라 가게 안은 텅 비어 있었다. 그러나 메뉴가 하나하나 나옴과 같이 현지인들로 채워지는 테이블을 보며 참 잘 왔다 생각했다.

프랑스와 마찬가지로 스페인의 식사 시간은 길다. 정식 레스토랑에 가면 어디든 코스식으로 나오기 때문에 메인 메뉴가 나오려면 첫 메뉴가 나온 후 30분은 족히 흘러야 한다. 소파 데 아호와 모르씨야 속, 찐 렌틸콩, 정체를 알 수 없는 야채볶음이 차례대로 나왔다. 혹시 메인인 꼬시도가 나오기도 전에 배가 불러버릴까 봐 걱정스러워 조금씩만 먹었다.

그리고 드디어 어젯밤부터 무려 16시간을 기다린 꼬시도가 나왔다. 돼지의 여러 부분을 삶거나 찐 요리다. 생김새는 흡사 한국의 모듬수육 같다. 머릿고기, 껍데기, 지방, 귀, 다릿살까지 다양하게 있다. 맛도 간이 되어 있는 모듬수육과 비슷하다. 그런데 짜다. 처음에는 맛있었으나 몇 점 집어먹으니 어마어마하게 짜고 기름지다. 주변을 둘러보니 찐 렌틸콩을 밥 대신 곁들여 먹는 것 같다. 그런데 찐 렌틸콩마저 짜다. 스페인 음식이 짜다는 이야기는 많이 들었지만 지금껏 별로 와닿지 않았었다. 오늘에서야 제대로 느꼈다.

주변 사람들은 이야기를 나누며 맛있게 먹고 있었다. 오히려 사람들은 계속 들어와 식당 안을 가득 메웠다. 이렇게 현지인들이 즐겨찾는 집이라면 현지 맛집이 맞긴 하다. 다만 삼삼한 수육을 김치에 싸먹고 밥을 꿀떡 넘기는 한국인 입맛에 잘 맞지 않았을 뿐이었다. 만 킬로미터 넘게 떨어진 곳까지 와서 갓 쪄낸 따끈한 수육에 김치와 쌀밥을 떠올리는 것이 한심해 보이긴 해도 어쩔 수 없었다. 그래도 현지의 맛은 톡톡히 본 셈이다.

맛은 꽤 주관적이다. 누구에게나 맛있는 음식도 있을 수 있겠지만 호불호가 갈리는 음식들도 있다. 나는 홍어를 세 번은 도전해 보았지만 아직도 못 먹는다. 반면 내가 좋아해 마지않는 생굴을 아예 못 먹는 사람도 허다하다. 심지어 같은 음식이라 할지라도 간이 어느 정도면 적당한지 어느 정도로 매운 것이 좋은지에 대한 인식이 갈린다. 같은 문화권에서도 이럴진대 다른 문화권의 음식에 대한 호불호는 더욱 심하겠다. 스페인의 맛집이 나에겐 맛집이 아닐 수 있고 한국의 맛집이 외국인들에게는 맛집이 아닐 수 있다.

저녁에는 동양마트에서 장을 봐서 오랜만에 고추장찌개와 라볶이, 냄비밥을 했다. 거진 한 달 만에 먹어보는 한식이다. 칼칼한 국물에 촉촉한 쌀밥을 오랜만에 먹으니 속이 한순간에 풀렸다. 그런데 식사를 함께 한 대만 친구 C에게는 모든 것이 지나치게 매웠나 보다. 왜 한국인들은 이렇게 매운 것을 좋아하냐며 라볶이를 하다 남은 라면 사리와 밥에 고추장 찌개를 조금씩 뿌려먹고 있었

: 나를 기쁘게 한 간판

다. 오늘 점심 레스토랑에서 너무 짠 꼬시도에 정신을 못 차리던 내가 오버랩되어 웃음이 나왔다.

별 특이할 것이 없는 타파스 바를 돌아다니고 너무 짠 꼬시도에 정신을 못 차렸지만 여행 중에는 그마저도 낭만이 된다. 남은 한 달여 기간 동안에는 열심히 스페인과 포르투갈의 현지 식당들을 돌아다녀 볼 생각이다. 소금 덩어리 같은 돼지 수육을 만나고 실망할 수도, 어쩌면 때때로 이국적인 미식을 즐길 수도 있겠다. 하지만 그 모든 것이 여행의 일부분이 된다 생각하면 다시 가슴이 뛰기 시작한다. 여행에서 먹는다는 것은 그 자체로 생존 이상의 의미가 있다.

그 어디에도
속박되지 않는
삶에 대한 고찰

세상에는 안정을 추구하는 이들이 있는가 하면 도전을 추구하는 이들이 있다. 인간관계에서는 도전을 안 하는 편이지만 내 자신에 대해서라면 나는 후자에 가깝다. 〈포레스트 검프〉를 보고 감명 받은 나는 지쳐서 더 이상 한 발짝도 못 갈 때까지 걸어보기를 원했고 며칠 전 50km를 걸음으로써 버킷 리스트 하나를 달성했다. 하루에 50km를 걸었다고 누가 메달을 걸어주는 것도, 어마어마한 성취감이 있는 것도 아니다. 남는 것은 오직 아픈 발뿐과 술자리 안주거리 하나 정도뿐일 텐데 왜 나는 그토록 탈진할 때까지 걷고 싶어했을까?

무리하게 50km를 걸은 탓인지 결국 탈이 났다. 불안불안하던 왼쪽 발목 앞이 조금만 걸어도 아프다. 사실 50km를 걸은 다음

날 레온까지의 20km 중 마지막 5km는 거의 기다시피 왔다. 레온에서는 원래 하루 쉴 예정이긴 했지만 3일차인 오늘 아침이 되어도 발목이 아물지 않아 하루 더 쉬어가기로 했다. 오늘은 쉬는 김에 어제 제대로 보지 못했던 가우디의 건축물 Casa Botines를 볼 것이다.

느긋해진 나 자신을 발견했다. 초반만 해도 하루하루 걷는 것에 대한 강박감이 있었다. 확실한 맺음 없이 쉼표를 남발하는 문장이 매력 없듯 그런 여정도 매력이 없다고 생각했다. 적어도 쉼표가 있다면 다음 찍는 점은 온점이어야 했다. 도보 순례이니만큼

: 느긋했던 레온에서의 하루

하루의 끝은 지쳐 잠드는 것이 맞다고 여겼고 다음 날 몸 중 어느 부분이 아프지 않다면 어제 더 걸을걸 하는 생각도 들었다. 혹시라도 쉬는 날이 있으면 패배자라는 느낌을 지우기 어려웠다. 그렇기에 아침에 일어났을 때 하루 더 쉬자 했던 것은 스스로에게 있어 놀라운 일이었다.

아침을 주섬주섬 챙겨먹고 소염 진통제를 먹고 다시 자리에 누웠다. 잠시 자고 일어나자 발목 통증이 완화된 것이 느껴졌다. 그래도 오늘은 쉬는 것이 좋겠다. 숙소 비용을 처리하고 다시 돌아와 누워 어제 못다 쓴 글을 마치고 다시 조금 잤다. 잠이 많은 편이 아닌데 이상하게 그간 피로를 보상하려는 듯 잠이 쏟아졌다.

우리는 늘 기회비용과 함께한다. 짬뽕을 먹을까 짜장을 먹을까 고민할 때는 짬짜면을 시키면 되지만 인생에는 짬짜면이 없다. 까미노도 마찬가지다. 며칠 전 43km를 걸은 후 마지막 6.6km를 더 걸을까 말까 할 때 나는 다시 한번 선택해야만 했고 나는 6.6km를 더 걷기로 선택했다. 그 결과 그 날 저녁부터 오늘까지 4일 동안 덜렁이는 왼쪽 발목 때문에 고통받고 있다. 하지만 후회는 없다. 셋째날 주비리에서 팜플로냐로 올 때 두 갈래 길 중 하나를 선택하고는 가지 않은 길에 대한 후회는 하지 않기로 했다. 그 이후 지금까지 걸어온 길 중에 두 갈래 길이 참 많았다. 선택한 길이 평탄할 때도, 예상치 못한 언덕을 만나 당황할 때도 있었지만 후회는 없었다.

후회는 꼬리에 꼬리를 물고 가정은 또 다른 가정을 낳는다. 로또를 몇 번 사보았다. 인생이 힘들 때였다. 한 번은 4등에 당첨되기도 하고 한 번은 번호 세 개는 맞았지만 나머지 세 번호가 다 숫자 하나씩 비켜나간 적도 있다. 그때는 한

: 오늘의 작은 행복

장씩만 산 것을 후회했다. 그래서 한번은 오만 원어치를 사보았다. 결과는 오만 원어치 모두 꽝이었다. 4등 당첨되었던 것이 한 번에 다 날아갔다. 그러자 오만 원어치를 산 것이 후회가 되었다.

더 뒤돌아본다면 애초에 오만 원으로 만족했더라면, 그 이후 오천 원 더 번 것에 만족했더라면, 아니면 로또를 아예 사지 않았더라면, 아니 쪼들리지 않게 그때 후배들에게 쏘지 말걸, 아니 과외가 하나 더 들어왔을 때 받을걸, 아니 그때 라멘에 차슈 추가를 하지 말걸 하는 연속된 후회로 이어진다. 아마 그 순간 나를 구원해줄 수 있었을 것은 로또 1등이었겠지만 그 이후에도 내 후회는 계속되었을 것이 틀림없다.

인간의 욕심은 끝이 없기에 계속 후회할 것을 만들어낸다. 후회는 미래의 실수를 방지할 수 있는 거울이 된다는 점은 부정할 수 없다. 하지만 아무리 유용한 것이라도 짐이 되는 이 까미노에서 후회마저 내려놓지 않으면 한 발짝을 더 걷기란 쉬운 일이 아니다.

온고지신이라 했지만 지금 이 순간만큼은 오직 현재에만 집중하자고 다시 다짐을 했다. 한 걸음 한 걸음 내딛는 발에서 피어오르는 먼지와 내뱉고 마시는 숨결 하나에 집중하는 것이 까미노를 즐겁게 걸을 수 있는 길이다. 버스를 타도 좋다. 걸어야 하는 길을 걷지 않고 있다는 배덕감이 들겠지만 끝없이 펼쳐진 평야를 질주하는 것은 행복할 것이다.

만씨야에서 만난 스페인 아저씨 F랑 잘 못하는 스페인어로 대화를 했다. F는 자유를 찾아 이곳에 왔다. 나 역시 마찬가지다. 자유를 찾아 이곳에 온 사람은 그 무엇에도 얽매이면 안 된다. 중요한 것은 단 한 가지, 모든 결과가 오로지 내 의지 하에 있으면 된다.

고등학교 시절, 나는 윤리를 선택했다. 암기하는 것이 싫기도 했고 기라성 같은 여러 철학자들에게 매료된 덕이기도 하다. 데카르트와 베이컨, 그리고 칸트와 쇼펜하우어. 이들이 모이면 주제가 무엇이든 칼날 같은 제각기의 논리로 꽤 재미있는 대화가 오갈 것이다. 하지만 내가 그들에게 매료된 이유는 그들의 사상이 매력적이어서가 아닌 그들이 그들 스스로의 세계를 가지고 있다는 점이었다. 그들 자신의 세계 속에서는 모든 질문에 대한 자신만의 대답이 가능하겠지. 그 무엇에도 기대지 않은 자신의 의지와 생각 속에서 나온 대답. 그것을 나는 갈구했다. 내 세계를 쌓고 그 안에서 모든 의문에 대해 내 식대로 대답할 수 있기를 바랐다.

노력한 지 십 년 가까이 흘러 이제는 거의 모든 질문에 대해 나만의 대답과 이유를 내놓을 수 있게 되었다. 그러나 나의 세계에 맞추어 사는 것은 다른 문제였다. 내가 A라고 생각해도 B라고 행동해야 정답이 되는 것이 이 세상이었다. 사회로 뛰어든 후에는 나의 생각과는 상관 없이 나의 정답이 아닌 세상의 정답을 좇았다. 나의 행동은 내 의지대로가 아닌 것들이 많았다.

돌아가면 다시 세상이 제시해 주는 정답에 맞추어 살지도 모른다. 새벽 6시 반에 일어나 7시까지는 샤워를 마치고 7시 반에는 지하철을 타고 8시 반까지 수업 장소 근처에 도착해 9시까지 수업 준비를 마무리할 수도 있다. 비록 그것이 나의 의지가 아니라 할지라도 내가 일단 먹고 살아야 의지도 있기 때문이다.

그러나 일생 중 얼마 안 될 이 기회 역시 세상의 의지에 따라 걸

: 만나게 되는 작은 행복들

으며 소모해야 한다는 것은 슬픈 일이다. 오로지 나의 의지에 따라 쉬고 걸으며, 스스로의 선택에 대해서 어쩔 수 없었던 일이었다라며 자신의 의지에 마치 반했던 것처럼 변명을 하지 않는다면 그야말로 내가 만들어가는 까미노가 의미있지 않을까 한다. 그리고 이 길의 반이 넘게 지난 지금, 이제야 이 사실을 깨닫고 이대로 따라 걸으려 한다.

단순한
하루

걷기 시작한 지 얼마 안 되었을 때는 지는 달을 보며 걷기 시작해 지는 해를 보며 걸었다. 헤드랜턴을 비추며 어둠과 안개 속을 걷다 보면 등 뒤로는 해가 떴다. 등지고 걷던 해가 어느 새 나를 지나쳐 점점 내려가기 시작하면 등 뒤로는 달이 뜨기 시작했고, 그때쯤 그날의 안식처에 도착하곤 했다.

그러나 걸은 지 십여 일이 지나자 익숙함이 나를 덮쳤다. 서둘러 일찍 출발하기보다는 여유롭게 출발하는 것을 추구했다. 하지만 불타오르던 아스토르가에서의 일출은 일출을 보며 걷고 싶은 내 욕망에 다시 불을 지폈다.

새벽같이 일어나 컵라면으로 아침을 대충 때우고 짐을 쌌다. 50km를 걸은 날 이래 나를 계속 괴롭히던 왼 발목은 조금 괜찮아진 듯했다. 밖은 아직 빛 한 줄기 없는 어둠이다. 첫날처럼 헤드랜턴 빛에 의존하여 한 발짝 한 발짝 나아갔다. 오늘은 해발 1400m가 넘는 큰 산 하나가 기다리고 있다. 산꼭대기에는 지은 죄를 내려놓는다는 철의 십자가가 있다. 철의 십자가에서 일출을 맞이하고 싶었다. 어둠에 휩싸여 20m 앞도 보이지 않는 산길을 걸었다.

걷다가 힘들 때는 하늘을 보게 된다. 끝이 없는 자갈밭, 게다가 오르막. 중간에 침낭이라도 펴야 하나 싶던 첫날 이래로 제일 많이 하늘을 보며 걸었다. 하늘에는 별이 가득했다. 별들의 고향이

: 달빛과 조그만 랜턴 하나가 나를 이끄는 유일한 빛이었다.

라는 이명이 붙은 산티아고 순례길에서 정작 별을 본 적이 얼마 없다는 생각이 들었다. 헤드랜턴을 잠깐 끄고 아무 불빛도 없는 하늘을 가만히 쳐다보았다.

밤하늘, 그것이 특히 달빛만이 영롱한 밤하늘이라면 밤하늘은 보면 볼수록 보는 자를 황홀경에 휩싸이게 한다. 달과 큰 별 몇 개만이 존재하는 검은 도화지에 점을 찍듯 희미한 별들이 피어오르고 이내 밤하늘은 검은 구석 하나 없이 크고 작은 별들로 빛난다. 이때만큼은 은하수가 부럽지 않다. 다만 이 황홀경은 아주 조그만 인공의 빛 하나로도 충분히 흐트러질 수 있다. 요즘 주변에 가로등 하나 없는 곳은 흔치 않기에 그 장소 그 시간은 내게 매우 소중하게 다가왔다. 세이렌의 노래에 홀린 뱃사람들이 흔쾌히 목숨을 내던지듯 그 순간 그 자리에 얼어붙어도 여한이 없을 만큼 황홀했다.

살을 에는 듯한 산바람에 정신이 퍼뜩 들어 다시 걷기 시작했다. 길은 가도 가도 썩 친절하지 않았다. 푹신해 보이는 낙엽길이 이어지는 가운데 그 옆에는 세월의 풍화로 인해 기반암이라도 튀어나온 듯 날카로운 암석길이 있었다. 낙엽길로 가다가 군데군데 숨은 자갈을 밟아 발을 접질릴 뻔했다. 이곳에서 낙엽길은 보기에 좋을지는 몰라도 걷기 좋은 길은 아니다. 숨어있는 자갈이 언제 어디서 발목을 노릴지 모른다. 반면 바위길은 투박하나 정직하다. 보기에는 아찔하지만 그만큼 위험이 뻔히 보인다. 위험을 피해 걸어도 미끄러질 수 있다. 그렇지만 적어도 낙엽으로 위장한 자갈을 밟아 발목이 돌아가는 것보다는 낫다.

한 시간 즈음 올랐을까. 다시 한 번 하늘을 보며 쉬었다. 하늘의 색은 어느덧 검은색에서 남색으로 변했다. 등 뒤를 돌아보니 동쪽 산맥 너머로 붉은 기가 돈다. 철의 십자가에서 맞기를 애타게 바라던 일출이다. 별을 보느라 발걸음이 늦었다. 하지만 서두르지 않았다. 일출은 쫓아가 잡는 것이 아닌 기다리는 것임을 일전에 깨달았다. 정신없이 일출을 쫓아가다 보면 정작 중요한 순간을 놓치고 만다. 초점이 빠름에 치중되기 때문이다. 과정에 치중하느라 결과를 망치는 꼴이다.

하루 중 제일 거룩하고도 경건한 시간은 단언컨대 일출과 일몰이다. 영웅 신화를 보면 비범한 탄생과 죽음이 두드러진다. 박혁거세는 알에서 태어났고, 죽을 때는 하늘로 올라가 7일 뒤 몸만 땅으로 떨어졌다고 전해진다. 알렉산드로스 대왕은 비범한 태몽을 가졌지만 모기에 물려 요절했다는 이야기가 있다. 업적으로만 본다면 알렉산드로스 대왕에 박혁거세는 비할 바가 아니겠지만 박혁거세의 이야기는 신화라 일컬어지고 알렉산드로스 대왕의 이야기는 일대기로만 남아있다. 이렇게 비범한 탄생과 죽음은 신화와 일대기의 분수령이 되었다. 우리의 하루가, 일 년이, 일생이 신화가 되려면 하루의 시작과 끝 역시 훌륭해야 한다. 그래서 시작과 끝을 중요시하는 풍조가 세계 곳곳에 있나 보다.

일출은 빠르면서도 느리다. 뚫어져라 지켜보고 있을 때는 변하는 것이 없다 싶다가도 눈을 돌리면 어느새 저만치 올라와 있다.

． ．
． ．
． ．

동이 트는 시간에는 엄숙히 하늘을 바라보자.

어느새 해는 떠서 검은 하늘을 하얗게 칠했다.

좀 더 좋은 자리에서 일출을 보고 싶어 자리를 옮기면 하늘은 이미 밝아져버렸던 적이 한두 번이 아니다. 매 순간이 절경이지만 단 한순간도 놓치고 싶지 않아 게걸음을 치며 눈 속 깊이 모든 순간을 담았다. 해가 완전히 뜨고 여운마저 지워진 후에야 다시 제대로 걸을 수 있었다.

철의 십자가에 도착했을 때 하늘은 이미 파랗고 해는 꽤 높이 떠있었다. 철의 십자가, 거창한 이름이지만 사실 높은 기둥에 철로 만든 십자가가 하나 박혀 있을 뿐이다. 순례자들은 생장에서부터 자신이 지은 죄의 무게에 상응하는 돌을 가져온다. 그 무게를

: 돌무더기 어디엔가 나의 죄가 있다.

지고 걷다가 이곳에 돌을 올려놓는다. 그 사실을 안 지 얼마 안 되었기에 나는 그저 산 밑에서부터 들고 온 작은 돌 하나를 올려놓았을 뿐이다. 이미 십자가 아래는 십자가가 생긴 이래 꾸준히 쌓여왔을 돌들이 모여 작은 돌산을 이루고 있었다. 조그만 조약돌부터 바위인지 헷갈릴 법한 큰 돌도 있다. 나는 바위라도 이고 왔어야 했나 싶다.

휴식을 취한 지 얼마 되지 않아 반가운 얼굴들을 만났다. 바로 앞 마을에서 잤다던 J와 C이다. 잠깐 해후의 시간을 가졌지만 얼마 되지 않아 걸음걸이 차이로 곧 헤어졌다. 혼자 걸을 때는 혼자 걷는 대로, 함께 걸을 때는 함께 걷는 대로 걷는 맛이 있다. 걸음이 빠른 J는 앞서가고 나와 걸음이 비슷한 C와 발맞추어 걸었다.

걷다가 이상한 외침에 고개를 돌려보니 한 사내가 소들을 이끌고 있다. 목동이라는 직업은 사라진 줄로만 알았는데 이곳에는 번듯하니 살아있다. 과거의 목동이 걸어다녔다면 이 목동은 픽업트럭을 타고 다닌다는 것 외에 바뀐 것은 없다. 사내가 방울을 흔들면서 뭐라고 외치면 소들은 최면이라도 걸린 듯 일렬로 사내를 따라간다. 하멜른의 피리 부는 사나이를 보는 것 같다. 소들은 꽤나 영리한 동물이다. 닭대가리라는 욕을 듣는 닭의 평균 아이큐가 7, 개가 25인데 소는 30이라 하니 닭은 물론이고 일반적인 개보다 영리하다. 또한 감성적인 동물이다. 도살장에 끌려갈 때 자신이 죽을 것을 알고 눈물을 흘린다고 한다. 저 소들은 당장 도살장으로 끌려가진 않아도 언젠가는 다가올 자신의 운명을 알고 있겠지. 그런데도 열을 지어 사내를 따라간다. 무엇이 저 소들을 움직이게 만드는 것일까. 그리고 나는 무엇에 이끌려 이곳에서 일렬로 산티아고를 향해 걷고 있는가.

소의 영상을 찍다 카메라 배터리가 부족해져 보조 배터리를 찾아 슬링백을 뒤졌다. 그러다 여권과 크레덴시알이 사라진 것을 알게 되었다. 식은땀이 등줄기를 타고 흐른다. 가능한 모든 시나리오가 주마등처럼 머리를 스친다. 머리는 멍한 상태다. 생각해 보니 어제 체크인을 하고 너무 피곤한 나머지 그대로 쓰러져 잤다. 정신을 차리고 하나씩 되짚어갔다. 그 어디에도 여권을 다시 슬링

: 돌길을 되돌아갈 생각에
정신이 아득해졌다.

백에 넣은 기억이 없다. 아침에 떠날 때도 도둑처럼 모든 걸 배낭에 우겨놓고 떠나왔다. 그런데 배낭에도 슬링백에도 여권은 들어 있지 않다. 여권은 숙소에 있을 것이다.

숙소에 전화를 해보았더니 받지 않는다. 하릴 없이 돌아갔다. 어차피 정해져 있지 않은 일정이라고, 오늘은 내일 걸을 길을 미리 한 번 걸어보고 있다고 생각하니 차라리 마음이 편했다. 돌아가며 함께 걷느라 소홀했던 주변 풍경을 보았다. 보이지 않던 능선과, 눈이 쌓인 봉우리, 산 밑에 가라앉은 안개가 보였다. 꽤 먼 거리를 돌아가야 했지만 나쁜 선택은 아니었다.

다시 봉우리를 넘어 철의 십자가를 보았다. 죄를 떨구지 않은 대신 여권을 떨궈놓고 그 대가를 치르는 중이다. 철의 십자가 앞에서 잠시 쉬고 있는데 전화가 왔다. 번호를 보니 숙소 주인이었다. 안 되는 스페인어로 주접을 떨어가며 상황을 설명했다. 여권을 놔두고 와서 돌아가고 있다고, 그곳에 있다면 보관만 해달라고 했다. 친절한 호스트께서는 목적지를 물으시고는 그럴 필요 없다며 감사하게도 오늘의 숙소까지 친히 가져다 주시겠다고 하셨다.

내심 걱정을 했는지 안 그래도 편하던 마음이 더욱 편해졌다. 하루에 같은 봉우리를 세 번 넘어도, 다시 한 번 낯선 골짜기를 내려가도, 양쪽 발목이 빠질 듯해도 그저 행복했다. 오늘도 몸과 마음을 뉘일 숙소가 있구나, 내일도 새로운 풍경을 볼 수 있겠구나 하는 기쁨이 발목의 아픔보다 훨씬 컸다. 한국에서는 한 가지 문제가 해결되어도 곧이어 얼굴을 드미는 다른 문제로 골머리를 썩힐 때가 한두 번이 아니었다. 이곳에서는 단순히 먹고 잘 곳만 있다면 그 모든 것은 문제가 되지 않는다. 프랑스인 로호가 했던 말이 떠오른다. "Camino will give you everything. You won't worry."

그렇다. 까미노는 오늘도 나에게 먹을 곳과 잘 곳, 세상에 대한 많은 생각을 준다. 그러나 아기가 단순하기 때문에 집과 밥과 세상에 대한 사실 하나하나를 부모님 품 안에서 얻을 수 있듯, 오직 단순해져야만 이 모든 것을 누릴 수 있다. 길을 걷다 몸이 원하면 아무 곳에나 앉아 점심을 먹는다. 길을 걷다 몸이 원하면 보이는 숙소에 들어가 잠을 잔다. 아무 걱정도 없다. 이렇게 나는 점점 더 단순해지는 중이다.

 : 하바날 → 폰페라다

나의 몫을
찾다

폰페라다는 까미노에서 흔히 만날 수 없는 큰 도시 중 하나다. 혹여나 오늘도 일출을 만날까 아침에 일어나자마자 일기예보를 봤다. 짙은 안개 예상. 어제 산을 내려오면서 바다같이 깔린 안개를 보았다. 어느새 나도 모르게 그 안에 들어왔나 보다. 오늘의 일출은 없다. 하지만 오늘도 출발은 빨랐다.

〈사일런트 힐〉의 배경처럼 안개가 깔린 도시를 걸었다. 서양 공포영화를 보면 주인공들은 (그 안으로 들어가면 큰일 날 것같이 생긴) 안개 속으로 전진한다. 그리고 실제로 사달이 난다. 한국인 현건우는 저 사람들이 왜 저런 멍청한 짓을 할까 하는 생각밖에 못했다. 그런데 이곳에 오고 나서야 안개는 이들에게 그저 하나의 일기 현상일 뿐이라는 것을 깨달았다. 비록 자욱한 안개가 신비감과 한

치 앞을 못 본다는 불안감을 심어주긴 할 테지만 한국인들에게 있어서는 비 오는 도시에 들어가는 것과 비슷한 느낌일 것 같다.

아침을 먹지 않고 출발했기 때문에 길을 가다 만난 첫 카페에 들어갔다. 맥주가 끌려 아침부터 큰 잔으로 두 잔을 내리 마셨다. 샌드위치를 시킬까 했는데 인상 좋은 카페 주인은 술만 먹으면 속 버린다는 듯 조그만 또띠야 조각을 접시에 올려준다. 아침 공복의 맥주는 취기가 빨리 오른다. 기분이 오른 채로 길을 걸었다. 술에 들뜬 걸음은 빨랐고 걷다 보니 어느새 여러 마을을 쉬지도 않고 지나쳐 34km 지점까지 왔다. 시간은 점심시간을 조금 벗어나 있었다.

: 이곳의 안개는 한국의
  안개와 사뭇 다르다.

또다시 보이는 바에 들어갔다. 맥주를 또 큰 잔 가득 시켰다. 이
번에도 어김없이 조그만 바게뜨와 하몽 슬라이스 하나가 나왔다.
배가 고프다는 인식이 없었는데 음식이 들어가자 갑자기 배가 고
파져 맥주 두 잔을 더 시켜 마시고 일어났다. 그렇게 감상도 없이
아침부터 알베르게에 도착할 때까지 맥주 다섯 잔으로 허기를 채
우며 술기운에 들떠 걸었다.

약 5km를 더 걸어 도착한 오늘의 숙소는 독일인 부부 사비네
와 올리가 운영하고 있는 곳이었다. 눈을 잠깐 붙이며 술을 깨고
나서야 오늘의 제대로 된 첫 식
사를 할 수 있었다. 마침 저녁
식사를 신청한 사람이 나밖에
없었기 때문에 친절한 호스트
부부와 오래 대화를 나눌 수 있
었다.

까미노를 걷다 보면 이 길에
붙잡힌 사람들을 종종 만나게
된다. 프로미스타의 베타니아
알베르게 주인인 호세와 루르
드, 아스토르가로 가는 길에 움
막을 짓고 살던 어떤 남자, 그

: 이제는 익숙해진 까미노 표시

리고 오늘 만난 사비네와 올리도 그렇다. 사비네와 올리는 원래 알프스 산맥이 보이는 노이슈반슈타인 성의 마을 퓌센에 살고 있었다. 그러던 어느날 올리가 까미노를 걷고 돌아와 사비네에게 뜬금없이 까미노 위에 집을 짓고 살자는 이야기를 꺼냈고, 까미노는커녕 스페인 근처도 가본 적 없던 사비네였지만 흔쾌히 동의했다고 한다. 올리의 말에 의하면 까미노를 걷고 돌아오니 독일에서의 삶이 마치 목을 옥죄는 것 같았단다. 그렇게 스페인어 한마디 못 하던 둘은 어느 날 스페인에 떨어졌고 행복하게 지금까지 살고 있다.

올리의 말을 듣고 한국으로 돌아간 후의 내 모습을 상상해 보았다. 신기하게도 지금으로서는 딱히 바뀔 것이 떠오르지 않는다. 그때 그 모습에서 더하지도 덜하지도 않은 모습 그대로 살 것 같다. 올리처럼 모든 것을 포기하고 까미노 위에 살 자신도, 대오하여 머리를 깎고 스님이 되거나 신학교에 들어가 로만칼라를 입을 자신도 없다.

그렇다면 스무여 일 동안 내가 이 길 위에서 얻은 것은 무엇일까. 벤츠의 삼각별만큼이나 검은 밤 하늘 수십 초간 집중하면 그제서야 보이는 작디 작은 별 하나 역시 아름답다는 것, 롤스로이스 여신상의 날갯짓만큼이나 하늘을 나는 매의 날갯짓이 활기차다는 것, 아픈 몸을 이끌고도 매일 시골길 위에 서서 화려한 일출과 엄숙한 일몰을 즐길 줄 아는 삶이 매일 화려한 도시 속 엄숙한 정찬을 즐기는 삶만큼이나 가치있다는 것을 깨달았을 뿐이다.

하지만 물욕을 버리기란 아직 쉽지 않다. 좋은 것을 알게 되면 이 모든 것을 소유하고픈 욕망이 솟구친다. 삼각별을 타고 너른 들판으로 나와 작은 별을 보고, 환희의 여신을 달고 있는 차를 타고 일몰을 구경한 다음 돌아가 좋은 와인과 함께 정찬을 즐기면 왜 안 되는가. 신석기 혁명 때부터 이어져 온 안락하고자 하는 인간의 저장 욕구는 한 달 만의 여정으로 무마될 수 없는 것인가 보다.

사실 이에 대한 답은 이미 알고 있다. 세상에는 욕심 없이 누릴 수 있는 것들이 너무 많고, 욕심이 있어야만 누릴 수 있는 것들 역시 그만큼 많다. 다만 욕심 없이 누릴 수 있는 것들은 어디서 찾을지 모르는 것들이고, 욕심을 요하는 것들은 조금만 손을 뻗는다면 잡을 수 있을 것 같기에 우리는 등 뒤의 보물을 버리고 바로 눈앞에 있지만 불확실한 보물을 찾는다.

뒤돌아볼 줄 아는 법을 배우고 싶다. 아직은 밤하늘의 별들보다는 삼각별을 추구하고 너른 수십만 평 평야보다는 백 평짜리 집이 더 좋다. 물욕은 허상일 뿐이라고 귀에 못이 박히도록 들어도 그렇다. 밤하늘의 별들이 더 아름답고 수십만 평 평야가 더욱 가져다주는 것이 많다 한들 내가 온전히 받아들이지 못하는데 어쩌겠는가. 뒤돌아볼 줄 아는 법을 배운다 해도 하나를 포기하고 하나를 가지기보다는 될 수만 있다면 둘 다 가지는 편이 더 나을 것이다.

그러나 뒤돌아볼 줄 아는 사람과 모르는 사람의 차이는 크다. 뒤돌아볼 줄 아는 사람은 그 자체로 풍요롭지만 그러지 못하는 사

:
:

오늘의 길 역시
편하지만은 않았다.

람은 오직 앞으로만 달려나간다. 패배는 용납될 수 없으며 배수진을 친 것마냥 패배는 죽음과 동일시되므로 초조하다. 반면 뒤돌아 볼 줄 아는 사람은 여유롭다. 더 앞으로 손을 뻗지 못한다 해도 뒤돌면 그 자리에 보물이 있다.

어찌 보면 이번 여행에서 이를 깨닫고 체득하기를 바라는 것도 사치에 지나지 않을 수 있다. 실제로도 단 한 번의 여행을 가지고 많은 것을 얻으리라 기대하지 않는다. 만일 그럴 수 있다면 세상에는 깨달은 자가 차고 넘치겠지. 나는 오직 지금 이 시간을 누릴 뿐이다. 깨닫고자 하는 욕망도, 변화하고자 하는 욕망도 잠깐 버리고자 한다. 까미노는 도깨비 방망이처럼 뚝딱하고 걸으면 삽시간에 모든 것이 변하는 곳이 아니라는 사실은 이미 느끼지 않았나. 일정을 짜고 나름 완벽한 계획이라 생각했겠지만 세상에 완벽한 계획이란 없음을 이제 너무 잘 알고 있다. 길 위에서 무엇을 느끼든, 어떻게 내가 변하든 그것은 길의 몫이지 나의 의지가 관여할 부분이 아님을 다시 한 번 되새긴다.

 : 폰페라다 → 암바스메스타스

인생이
글러먹은
이들에게

내 인생도 참 글러먹은 인생이다. 올해 휴학을 하고 교재를 두 편 쓰고 유튜브를 시작하려 계획을 세웠다. 여름방학 동안 진로가 뒤틀리며 기껏 만들었던 교재 두 편이 별 도움이 되지 않게 되었다. 7년 간 써온 교재는 컴퓨터 속 관련 없는 파일 두 개로 남았을 뿐이다. 군대는 또 한창 잘 나가던 2014년 겨울에 갑자기 끌려갔댔지. 위약금까지 물지는 않았지만 들어왔던 합숙과외비가 한꺼번에 통장에서 빠져나갈 때는 가슴도 텅 비었다.

좀 더 먼 과거를 돌아볼까. 현역 때 눈에 흙이 들어가도 안 가겠다며 포기하고 재수를 택했던 학교를 재수까지 하면서 1년간 휘돌아왔다. 고등학교에 입학할 때 세운 계획으로는 나는 문과에 있으면 안 됐지. 변리사가 되고 싶었으니까. 반면 초등학생 시절을 떠올려 본다면 나는 지금쯤 문과도 이과도 아닌 신학생이었을 것이다. 여태 인생에서 계획을 세웠을 때 이유가 어떻든 정말 계획대로 된 것은 오직 20% 정도에 불과했던 것 같다.

오늘도 뿌연 안개 속을 걸으며 마치 내 인생처럼 글러먹은 길이라 생각했다. 청명한 날에는 어디서부터 오르막이 시작될지, 어디서 쉬면 좋을지 구체적인 계획을 세울 수 있다. 그런데 안개가 자욱한 날에는 단지 몇 걸음 앞을 제외하고는 당최 어디서 쉬어야좋을지, 앞에 어떤 것이 있는지 알 수가 없다. 수돗가에서 물을 채워야 하는데 생각보다 길이 걸을 만해서 조금만 더 조금만 더 하다가 수도는커녕 벤치도 없는 산길로 들어섰다. 안개가 자욱한 길은 계획을 세워도 확실치 않으며 가끔은 계획을 세우는 일이 세상에서 제일 멍청한 일이 되는 길이다. 만일 바로 앞에 산이 있었다는 것을 알았다면 산길로 들어서기 직전 마주친 수돗가에서 물을 채웠을 텐데.

안개 속 산길은 한술 더 뜬다. 분명히 나는 오늘 해발 1400m 가까이 올라가야 한다. 그러나 미심쩍은 화살표 하나가 내리막으로나를 이끈다. 그렇다고 무시할 수도 없다. 이 안개 속에 의지할 것은 오직 화살표이다. 게다가 화살표를 무시했다가 트럭에 치여 비명횡사할 뻔한 기억이 있는 나로서는 아무리 미심쩍어도 화살표를 따를 수밖에 없다. 아니나 다를까 얼마 지나지 않아 다시 오르막이 펼쳐진다. 평소 같으면 위를 보며 저 정도만 올라가면 되겠다 가늠이라도 해보지만 보이는 것은 안개뿐이다. 얼마나 올라가

분명히 오늘은 오르막을 걸어야 하는 길이었다.

야 그나마 숨을 돌릴 평지가 있을지, 마을이 있을지, 아니면 끝없는 오르막의 연속인지 전혀 모르겠다. 그저 오를 뿐이다.

이틀 전 철의 십자가에서 폰페라다로 내려올 때 바다처럼 깔려 있던 안개가 바로 이 안개다. 겉으로 봐서는 수심을 알 수 없는 바다처럼 안개도 밖에서 봤을 때는 평화롭고 신비하기만 했다. 하긴 크루즈를 타고 태평양을 건너는 것과 천 길 물 속은 다른 것이 당연하다.

계속 오르다 보니 다행히 점점 안개보다 높은 곳으로 올라가게 되었다. 그저 흐린 날인 줄로만 알았는데 오르면 오를수록 하늘은 푸른 기가 돌기 시작했고 결국 올라선 안개 위에는 파랗고 높은 하늘이 있었다. 그리고 얼마 안 있어 산길을 걸은 이후 첫 마을과 마주하게 되었다.

마을에는 그토록 바랐던 음수대와 애교가 넘치는 고양이 한 마리가 있었다. 음수대에서 목을 축이고 유난히 경계심이 없던 고양이를 쓰다듬어 주며 지금껏 걸어온 길을 바라보았다. 아직도 안개는 마치 그릇에 담긴 우유처럼 분지에 온통 하얗고 얼마나 높이 올라왔는지 가늠조차 할 수 없을 정도로 두껍게 발 밑을 메꾼다. 초콜릿 한 조각을 먹고 다시 힘을 내서 걷기 시작했다.

시야가 확 트인 오르막은 훨씬 걷기 편했다. 힘들 때는 옆으로 이어지는 능선과 하늘을 보며 걸으면 된다. 산을 오른다기보다는 그림 속으로 점점 걸어 들어간다는 느낌이다. 얼마나 걸었을까. 잠깐 숨을 돌리고가 멈춰 섰다. 뒤를 돌아보니 생선 본 적 없던 풍경이 앞에 펼쳐졌다. 안개 바다 위에 산봉우리가 섬처럼 솟아 있다. 걸어온 황토 빛 길은 바다로 이어진 모래사장 같다.

시간이 멈추었다. 그림 안으로 걸어 들어가 결국 그림이 되어버린 듯 나조차 감히 움직일 수 없었고 움직이는 것은 오직 일렁이는 안개 물결뿐이었다. 풍경을 담고 싶어 카메라 셔터를 눌러댔지만 만족할 만한 사진이 나오지 않는다. 메세타 고원의 광활함처럼 그저 마음에 깊이 새기기로 했다. 오르막을 오르느라 가빴던 숨이 평온해진 지 오래여도 자리를 떠날 줄 모르고 한참 동안 그 자리에 서있었다. 오리무중이던 안개를 뚫고 미심쩍은 내리막과 오르막을 반복하다 보니 내가 걸은 길은 아무도 모르게 나를 이곳까지 이끌었다.

마을 간의 거리와 고도는 정해져 있다. 그러니 내리막이 있으면 그만큼 더 오르면 되는 것이고, 내리막을 걷는 와중에도 나는 다음 마을과 한 걸음씩 더 가까워지는 셈이다. 길이 내리막이든 오르막이든 걱정할 필요가 없다. 중요한 것은 이정표를 잘 따라가는 것 하나뿐이다. 설사 그 길이 안개 속에서 한 치 앞을 알 수 없고 올라가는 것이 맞지만 나를 내리막으로 인도하는 글러먹은 길일지라도 목적지로 이끄는 이정표만 있다면 내 길은 잘못된 것이 아니다. 글러먹은 인생이 현재의 나를 만들었지만 내가 지금의 나 자신을 부정하지 않는 것처럼.

작년 이맘때쯤 기회가 닿아 거의 백 명에 가까운 고등학생 앞에서 강연을 한 적이 있다. 꿈을 찾는 과정에 대한 것이었다. 자신

산 정상에서 마주한 무해

이 걸어온 발자국 하나하나를 돌아보라는 것이 강연의 핵심이었다. 발자국에는 주인의 많은 것이 담긴다. 발 사이즈, 걸음 습관, 심지어 주인이 어떤 신발을 신었는지도 발자국을 보면 알 수 있다.

현대 범죄 수사에서 발자국이 중요한 역할을 하는 이유이다. 이처럼 지금 당장 무엇을 하고 어디로 가야 할지 모른다 해도 자신이 걸어온 발자국 속에는 자아가 담기기 마련이다. 자신도 몰랐던 사소한 취향부터 가치관까지 과거의 발자국을 돌아보면 알게 있다. 그 속에서 교집합을 찾는 것이 자아를 찾아가는 과정이며 이를 찾는다면 당신은 당신의 꿈을 찾은 것과 다름없다고 나는 힘주어 말했다.

비록 그때 확고하던 나의 목표는 올해 아주 조그만 파문 하나로 인해 무너졌지만 내 생각에는 변함이 없다. 자기 자신에 충실했던 발자국들은 믿을 만한 이정표가 된다. 나의 발자국이 모여 지금의 나를 만들었듯이 나의 발자국들은 나를 내가 가야 할 곳으로 이끌 것이라고 믿는다. 내가 해야 할 것은 이정표에 맞추어 발자국 하나하나를 찍어가는 일 그뿐이다. 이정표만 제대로 되어 있다면 꿈이 무너지더라도 새로운 꿈의 새싹이 자라게 된다. 오르막이어야 하는 길이 내리막일지라도 결국에는 올바른 마을로 이끄는 것과 같다.

그렇게 보면 글러먹었다는 표현은 아예 맞지 않다. 원체 욕망에 충실하던 인간이었고 좌충우돌 살던 인간이었다. 오히려 내가 원하는 대로 발자국을 찍어왔기에 지금의 내가 있다는 말이 더 옳을

: 까미노의 마지막 지방인 갈리시아로 접어든다.

것이다. 영어 사교육에 7년 가까이를 투자해 왔지만 한순간에 던
져버린 나를 보고 사람들은 말한다. "그럼 이제 뭐할 거야? 아깝지
않아?" 그럴 때마다 웃으며 답하곤 한다. 아깝긴 하지만 다 계획
이 있다고. 사실 반은 맞고 반은 뻥이다. 전혀 아깝지 않다. 그 7년
의 시간 동안 나는 내가 원하는 대로 치열히 살았고 내 뒤에는 지
극히 나다운 발자국이 찍혔을 것이다. 그리고 정말 나다운 계획을
하고 있다. 이번에도 내 글러먹은 인생이 빛을 발해 계획을 망가
뜨린다 해도 이정표만 온전하다면 문제가 없겠다.

　어제 만난 이들에게는 15km를 걸어 오 세브레이로까지 가겠다
했지만 원래 오늘 아침에 변경한 계획은 그보다는 멀리 가는 것이

나를 붙잡았던 오 세브레이로

었다. 그런데 풍경을 보며 걷다 보니 풍경을 내 마음 속에 담는 데
에는 조금 더 많은 시간이 필요할 것 같았다. 그래서 오늘은 안개
바다가 보이는 오 세브레이로에 묵기로 했다. 역시 아무래도 글러
먹은 이의 길은 글러먹을 수밖에 없다. 숙소를 잡았다. 숙소에는
욕조가 있다. 오랜만의 반신욕으로 노곤함을 풀고 근처 바에 들어
가 맥주 한 잔과 갈리시아식 고기파이를 시켰다. 맛있었다.

해넘이 사진을 찍다 미사 시간이 되어 이상할 정도로 북적이던
성당으로 들어갔다. 조그만 산골마을 성당에 무슨 사람들이 이리
많이 모였나 싶었다. 오늘 유명한 뮤지컬 배우가 참석해서 성가를

: 오 세브레이로의 밤풍경

부른단다. 귀가 호강한다. 미사가 끝나고 식당에 들어가 보니 소갈비를 10유로에 판다. 맥주와 함께하니 맛은 역시 끝내준다. 인생이 글러먹은 덕에 누리는 호사가 많다.

파울로 코엘료는 첫 순례 여행 중 이곳 오 세브레이로에서 큰 깨달음을 얻었다 한다. 글쎄. 나는 아무래도 평범하기 그지없는 사람이다. 큰 깨달음은 모르겠고, 조금은 인생이 계획한 대로 가지 않더라도 충분히 즐거울 수 있다는 조그만 사실 하나는 다시 확인한 것 같다. 내일은 오늘의 안개바다 위로 태양이 뜰 것이다. 내일 어디까지 걸을 수 있을지는 모르겠지만 조금 늦게 일어나 일출을 충분히 즐기다 걷기 시작할 생각이다. 인생이 글러먹었다 싶은 모든 이들을 응원한다.

 : 암바스메스따스 → 오 세브레이로

태양이
아닌
별이 되어

무작정 서쪽으로 향하는 나는 아침에 일어나면 달을 보고 걷고, 걷다 보면 해를 보며 걷게 된다. 걸을 때 유일한 불빛이었던 달이 점점 한 줄기 빛으로의 역할을 상실하고 이내 파란 물감 사이로 흩어져 하늘빛을 더해 줄 때면 으레 목적지에 도착하곤 했다. 그리고 저녁을 늦게 먹는 스페인 문화 특성상 숙소에서 쉬다가 느즈막히 저녁을 먹으러 나와 보면 어느새 사라졌던 달을 다시 만나게 되는 것이다.

일출과 일몰, 그리고 하늘 높이 떠 있는 달에게 감동해 본 적이 많다. 일출과 일몰은 언제나 경건하고 거룩했다. 지구에서 제일 큰 빛이 떠오르고 지는 과정이다. 일출과 일몰을 바라보거나 안개 속에서도 강렬하게 빛을 내뿜는 해를 볼 때면 왜 고대 이집트인들

:
:
:

오늘도 안개, 안개, 안개

이 태양신을 최고의 신으로 섬겼는지 이해할 것 같다. 휘영청 밝은 달은 왠지 모를 신비감을 자아내곤 하였다. 캄캄한 밤하늘 속 오직 나만의 당신의 유일한 빛이라는 듯 온몸으로 존재감을 피력한다. 그 빛은 모든 사물을 환히 비추지는 못하지만 사물의 전체 모습이 또렷할 때 보지 못하는 사물의 또 다른 측면을 보여준다.

길을 걸으며 태양에게 천 번 달에게 백 번 정도 감동했다. 하지만 별은 달이 있을 때면 달빛이 반짝이며 부서지는 듯한 착각을 안겼을 뿐 별 그 자체로 감동을 받아본 적이 없다. 별도 그 자체의 빛이 있지만 더 큰 빛에 가리는 탓이다.

오늘 나는 산티아고로부터 약 100km 지점인 사리아를 지났다. 사리아에서 묵을까도 했지만 사리아에서 약 5km 더 떨어진 바르바델로까지 왔다. 이곳은 가로등도 몇 개 없는 촌동네다. 짐을 풀고 보니 주변에는 바도, 레스토랑도, 식료품점도 없었다. 사리아에 그냥 있었더라면 적어도 저녁을 굶을 걱정은 안 했을 텐데 하고 후회했다. 다행히도 알베르게 호스트가 300m쯤 떨어진 근처 알베르게에서 식사도 같이 판다고 하여 그 알베르게까지 가서 식사를 하고 왔다. 하마터면 더 멀리 가려던 욕심 때문에 오늘 저녁을 쫄쫄 굶을 뻔했다.

여느 때와 같이 순례자 메뉴와 와인 한 병으로 식사를 마치고 숙소로 돌아오던 참이었다. 기센 아주머니 한 분이 식당을 지키고 계셨다. 스페인어로 따다다 쏘아붙이고 대답을 못 하면 뭐라 또 쏘아붙인다. 밥먹는 내내 말을 걸어 체할 뻔했다. 소화라도 제대로 하기 위해 일부러 멀리 돌아오면서 습관처럼 하늘을 올려다보았다. 오늘은 달이 보이지 않았다. 대신 나를 감싼 것은 전에 마주한 적 없던 수천 줄기의 별빛이었다. 달이 사라진 지금 별들은 한순간에 자신을 드러낸다. 큰 별도 있고 작은 별도 있다. 조금 더 멍하니 하늘을 바라보니 수천 개의 별은 수만으로 거듭난다.

그래, 너희들이 거기에 있었구나 했다. 달에 가려 빛을 내지 못하지만 언제나 별들은 거기에 있었을 테고, 낮에도 역시 햇빛에 가렸을 뿐 별들은 저 위에 있었을 것이다. 그리고 지금 별들은 자신들이 제일 돋보일 수 있는 단 한순간을 찾아 빛을 내고 있다. 지금만큼은 아무리 소박하더라도 별들이 제일 아름다운 순간이다.

언제나 태양과 같은 사람이 되고 싶었다. 세상에서 제일 높게 떠서 세상 제일 구석진 곳까지 밝게 비추고 싶었다. 달과 같은 사람도 좋다. 달이 밝으면 밤길을 걷는 사람은 달빛에만 의존해 걷기도 한다. 그러나 이 뒤에 가려진 별과 같은 사람들도 분명 있을 것이다. 그러고 보니 별과 같은 사람은 어떤 사람일지 여태 생각조차 못 해 보았다.

별 구경을 하며 글을 쓰다 문득 춥다는 것을 느끼고 이제 그만 알베르게로 돌아가고자 했다. 오늘은 알베르게에 아무도 없어 나 혼자 호젓한 밤을 보낼 수 있다. 그런데 알베르게 앞에 선 나는 망연자실할 뿐이었다. 알베르게 호스트가 퇴근하면서 문을 잠가버린 것이다. 이 마을에 알베르게는 이곳 하나밖에 없고 나는 지금 반팔에 후드집업 하나를 걸치고 슬리퍼를 신고 밖에 나와 있다.

목숨을 담보로 본 별은 아름다웠다.

산골이라 그런지 기온은 영하다.

알베르게 주인에게 전화를 했는데 전화기가 꺼져 있었다. 알베르게 주변을 돌며 들어갈 구멍을 찾아봤지만 들어갈 구멍은커녕 물 샐 틈도 없어 보였다. 괜히 열리지 않는 문을 두드리고 당겨 보았다. 문이 부수어질 듯이 흔들리긴 했지만 열리진 않았다. 그렇다고 문을 부술 수는 없으니 참 답답한 상황이었다.

그래도 얼어 죽는 것보다야 낫겠다고 생각하고 문을 부수려던 찰나에 식당 주인이 떠올랐다. 이 근방에서 유일하게 만난 사람이었다. 식당까지 3km를 슬리퍼가 벗겨지도록 뛰어갔다. 시간은 이미 꽤 많이 흘러 거의 10시를 가리키고 있었다. 너무도 당연히 식당 문은 잠겨 있었다. 식당 문 옆에 초인종이 보여 초인종을 눌렀다. 아무 반응도 없었다. 민폐라고는 생각했지만 생존에 대한 욕구가 더욱 컸다. 초인종을 연타하니 짜증에 절은 목소리가 들렸다. 랩같이 빠른 스페인어 중에 닫았다는 단어가 들렸다. 문 닫았으니 돌아가라는 말이었던 것 같지만 그만해도 하늘에서 동앗줄이 내려온 느낌이었다.

다급히 도와달라고 외치자 문이 열렸고, 구글 번역기에 상황을 적어 보여드렸다. 그러자 갑자기 태도가 확 변하며 들어오라며, 문제 없다며 나를 꺼져가던 벽난로 앞으로 안내했다. 남편분이 거의 다 꺼졌던 벽난로의 불길을 다시 살리는 동안 아주머니는 어디론가 급히 많은 전화를 하셨다.

추위와 공포에 얼어붙은 몸과 마음이 벽난로 앞에서 주인 아주머니가 타주신 코코아로 사르르 녹았다. 적어도 죽지는 않겠다는 생각이 들자 그제야 식당 주인 부부에게 민폐를 끼쳤다는 생각이 들었다. 죄송하다고 연거푸 말씀드리는데 두 분 모두 내게 괜찮다고 걱정말라고 하시며 오히려 안아주셨다. 아까 식사 중에 성미 사나운 아주머니라고 속으로 짜증낸 것이 더욱 죄송해졌다. 이윽고 문제가 해결된 듯 남편분이 나를 데리고 다시 알베르게 앞으로 갔다. 연장을 가지고 문을 어찌저찌 따주셨고, 나는 다시 내 안식처로 들어올 수 있었다.

별 같은 사람이 어떤 사람일까 하고 고민했었다. 따지고 보면 대부분의 별은 태양과 같다. 사실 태양 따위는 비교도 안 될 만큼 큰 별들도 있다. 별들 하나하나는 누구보다 밝고 뜨겁겠지만 멀리 떨어진 이곳에서는 차갑고 작은 빛줄기 하나에 지나지 않는다. 하지만 그 빛은 세상에 의존할 수 있는 빛이 그 무엇도 없을 때 제일 크게 빛날 것이다. 오늘 태양 같지는 않았지만 별 같던 부부를 만났다. 까미노 제일 어두운 길에 제일 밝게 내 앞을 비춰준 부부였다. 아마 한국에 돌아가서도 오래오래 기억에 남을 것이다.

태양과 같은 사람이 되고 싶었고, 아직도 그 생각에는 변함이 없다. 그러나 적어도 누군가에게는 내가 태양이 아닌 별 같은 사람이 되었으면 하는 작은 소망 하나를 오늘 품게 되었다.

 : 오 세브레이로 → 바르바델로

오븐 속
삼겹살처럼

혼자서 크리스마스를 보낼 것 같더니만 크리스마스는 떠들썩하게 보내고, 올해의 마지막 날은 떠들썩하게 보내나 했더니 의외로 혼자 보내게 되었다. 신년을 같이 보내기로 한 일행이 몇 마을 앞서 있어 따라가려다 자갈을 밟았고, 덕분에 발목을 접질러 그대로 이 마을 포르토마린에 남게 되었다. 역시 한 치 앞도 모르는 인생이다.

의도치 않게 이 마을에 묵게 되었지만 마을은 정말 예쁘다. 까미노에서는 보기 드문 큰 강이 마을 앞을 지나고 그 강을 바라보는 언덕에 마을이 있다. 마침 묵는 숙소에 오븐이 있길래 두꺼운 삼겹살을 사다 양념을 하고 와인에 졸이는 중이다. 적어도 올해의 마지막 저녁은 분위기가 있어야 한다. 오븐을 예열하고 삼겹살을 넣었다. 예상 조리 시간은 두 시간 정도가 되겠다. 그 동안은 남은 화이트 와인을 홀짝여야지.

오븐 속에서 천천히 졸아 들어가는 와인과 그 속의 삼겹살을 보면서 여러 생각이 든다. 아무래도 음식을 보며 생각하다 보니 음식 생각이 제일 먼저 든다. 올 한 해 이것저것 참 많이도 먹었다 생각했다. 한국에 있을 때는 먹기 위해 사는 것처럼 먹었다. 돌아다니는 일이 잦은 덕에 서울 곳곳의 맛집을 섭렵했다.

여러 욕심이 사그라지는 가운데 순렛길을 걸으면서도 맛에 대한 욕심만큼은 버리지 못했다. 조금 대도시다 싶으면 구글과 트립어드바이저를 총동원하여 맛집을 찾았다. 여러 와인을 마시며 평

: 너무 예뻤던 마을, 포르토마린

하기도 했다. 순롓길에 있던 한 달 동안 소똥밭에 구르고 군대에서보다 훨씬 딱딱한 매트리스에서 자도 불만이 없었지만 식사에는 매우 예민했다.

순롓길 위 지금껏 먹은 식사 중 언제나 내게 만족을 준 것은 고기였다. 스테이크. 너무 오래 익히면 질기다. 적당히 갈색으로 익은 표면을 썰어내면 덜 익은 핑크빛 속살이 보인다. 탐닉하기 좋은 상태다. 조그만 조각을 잘 씹어 넘기고 와인을 한 입 머금어 내리면 육즙의 감칠맛과 와인의 오묘함을 느낄 수 있다. 삼겹살구이. 스테이크와는 달리 노릇노릇 잘 익혀야만 한다. 그래야만 바삭한 껍질과 부드러운 속살을 둘 다 즐길 수 있다. 느끼함은 맥주로 씻어낸다. 쇠고기가 되었든 삼겹살이 되었든 간에 고기에서 중요한 것은 익힘이다. 지금 철이라도 씹어 먹을 수 있을 만큼 배고프지만 오븐 앞에서 두 시간을 굳이 기다리는 이유도 역시 고기를 잘 익히기 위해서이다.

이곳에 와서 와인에 대한 식도락이 생겼다. 대충의 지역 색과 몇몇의 포도품종을 머리로 외우기만 하다가 이제는 나름 어떤 품종으로 어느 지방에서 만든 포도주는 이런 맛에 나겠구나 상상하며 와인을 고르기도 한다. 사실 소믈리에들이 즐겨 쓰는 육두구향이며 스파이시며 하는 것들은 아직도 잘 모르겠다. 〈신의 물방울〉에 나오는 것처럼 와인을 한 모금 마셨을 때 저 푸른 초원 위 그림 같은 집이 펼쳐지는 일은 더더욱 없다. 그저 이 와인을 사면 맛있겠다 정도만 느낀다. 그런데 가끔 상상을 깨는 맛이 나오기도 한다. 분명히 덜 떫고 향긋할 것이라 생각하고 샀는데 너무 떫고 시어서 마시기 어려운 와인들이 있다. 와인을 잘 아는 친구에게 물어보니 아직 마실 때가 아니라 그렇다고 한다. 그렇다. 와인 역시 고기처럼 익힘이 중요하다. 친구 말로는 아무리 품종이 좋고 생산자가 좋아도 적당히 익지 않으면 맛이 없다 한다.

사람 역시 나이가 들어갈수록 익어간다. 그러나 자신에게 주어진 때에 맞게 익어야 한다. 어떤 이들은 질 좋은 쇠고기처럼 덜 익어도, 아니면 육회처럼 그 자체로도 참맛이 나는 이가 있지만 대다수는 뭉근히 오래 익어야 비로소 참맛이 난다. 덜 익은 삼겹살이 못 먹을 음식인 것은 삼겹살의 잘못이 아니다. 마실 시기가 덜 된 와인이 떫은 것 역시 와인의 잘못이 아니다. 때를 못 만난 탓이다.

보통 당신과 나의 차이는 쇠고기와 돼지고기보다도, 보르도 와인과 리오하 와인보다도 훨씬 크지만 세상은 우리에게 어느 시점까지는 모두 정도에 맞게 익기를 요구한다. 그러다 보면 당연히 분명 훌륭한 요리 재료와 와인일진대 언더쿡으로 재료를 망치거나 떫은맛에 혀를 내두를 수밖에 없다.

다만 주의할 점은 이것이다. 혹자는 자신이 와인 같은 사람이며, 익을수록 맛이 난다 착각하고 있을 수 있겠다. 하지만 오버쿡된 쇠고기의 끝은 고무 타이어 같은 식감이며 때를 놓친 와인의 끝은 포도 식초일 뿐이다. 때를 맞추어 자기 자신을 여는 것이 중요하다.

삼겹살이 제때를 맞이하기까지는 20분가량 남았다. 오븐 안에서 보글보글 끓는 화이트 와인과 그 안에서 졸아 드는 삼겹살을 바라보며 나의 때는 언제일까, 아니면 이미 지나버린 것인가 생각을 해본다. 요리와 와인은 수많은 선험자의 경험을 따른다면 쉽사리 정도(正道)를 알 수 있건만 사람이 백이면 백 개의 인생이 있으므로 인생에는 선험자도, 정도도 없다. 사람은 자신의 때를 알기 어렵다.

갑자기 난제에 부딪혔다. 나는 나의 때를 어떻게 알 수 있을까. 어쩌면 이미 식초가 되어버린 것은 아닐까? 곰곰이 나의 인생을 반추해 보는 동안 갑자기 우울해졌다. 하지만 이내 주방 속에 가득 찬 잘 익은 삼겹살과 와인의 향기는 우울해진 나를 들뜨게 만들었다.

오븐의 땡 하는 알람이 울리자마자 나는 즐거이 오븐을 열고 트레이를 꺼냈다. 트레이 속에는 삼겹살이 영롱하게 빛난다. 그

: 오늘의 즐거움

래, 제때를 맞은 오븐 속 요리는 누군가가 열어주지 않는다면 결국 차갑게 식어갈 것이다. 동시에 오늘 나처럼 오븐 앞에서 요리가 익기를 기다리는 배고픈 누군가도 있겠지. 내가 오븐 속 요리라면 내가 할 수 있는 것이란 그저 맛있게 익어가며 향기를 풍기는 것일 뿐이다.

수동적인 삶의 자세를 추구하는 것은 아니다. 그러나 무인도의 로빈슨 크루소가 아닌 이상 인간이 누군가와의 관계를 통해 다음 단계로 나아간다는 사실은 틀림이 없다. 시험과 면접을 준비한다 해도 사회에서 나의 점수를 인정해 주어야만 합격할 것이고 사업을 한다 해도 세상의 인정을 받지 못하면 성공할 수 없다.

오븐 속에서 잘 익은 삼겹살의 껍질은 바삭하고 살코기와 지방은 야들했다. 그리고 삼겹살의 육즙을 포함한 와인과 홀그레인 머스타드를 함께 끓여 만든 소스는 오묘했다. 이와 함께 1시간 동안 열어둔 리오하 리제르바 와인을 곁들이니 한 해를 마무리하는 환상적인 식사가 되었다.

2018년 한 해 간 잘 익어왔다. 마지막 한 달은 온전히 이 길 위에서 익었다. 2019년 한 해도 잘 익어가는 한 해가 되었으면 좋겠다. 언젠가 오늘 오븐 속 삼겹살처럼 향기를 뿜어낼 수 있길 기원한다.

 : 바르바델로 → 포르토마린

욕망과
함께하는 법

아침에 일어나서 신라면과 햇반으로 새 해 첫 끼를 때웠다. 한국에서는 정 먹을 것이 없거나 귀찮을 때 먹던 라면이다. 그런데 이곳에서 라면이 보글보글 매운 내를 풍기며 끓고 있는 장면은 숭고하기까지 하다. 한국을 떠나온 지 벌써 한 달하고도 일주일째고, 산티아고 순롓길은 오늘로 딱 한 달째이다. 본래 세웠던 계획은 오늘 산티아고에 도착하는 것이었지만 걷다 보니 길을 즐기게 되었고 그게 그렇게 중요할까 싶었다.

짐을 싸다가 어제 다친 발목이 시큰했다. 문득 하루 쉬고 싶어졌다. 하루 쉬는 대신 일출이나 보러 나가기로 했다. 이 마을 포르투마린은 꽤 큰 강이 앞으로 멋들어지게 흐른다. 강 너머로 뜨는 새해 첫 해도 괜찮을 것 같았다.

문을 열고 밖으로 나섰는데 농도 짙은 안개가 내 앞을 막는다. 그놈의 안개. 이번 여정 처음부터 지금까지 늘 앞을 막던 안개였다. 멀리서 보면 바다지만 마을 전체를 덮는 하얀 벽. 그 벽을 뚫고 나아가는 것이 하루의 첫 일과였다. 그러나 모순적이게도 제일 큰 감동을 준 자연은 산도, 평야도 아닌 안개였다. 저 너머로 빛이 조금씩 번져오는 것을 보니 해가 떠오르고 있나 보다. 사진 한 장을 찍고 잠시 상념에 잠긴 뒤 다시 숙소로 돌아간다.

숙소로 돌아오니 어제 같이 밤을 보낸 스페인 부부 한 쌍이 짐을 챙겨 나간다. "부엔 까미노" 한 마디로 그들을 떠나보내고 이왕 쉬기로 했으니 다시 눕는다. 아침을 먹고도 쉬는 것이 얼마만인지 모르겠다. 이전에는 쉴 때마저 대도시의 구석구석을 다녀봐야 한다는 생각에 아침을 먹고 바로 도시를 둘러보러 나가는 바람에 정작 쉬지는 못했다. 가만히 누워서 오랜만에 찾아온 나태를 만끽한다.

산티아고 데 콤포스텔라까지는 4일 정도 거리가 남았다. 오늘 길을 떠나 4일 후면 완주자의 여유를 즐길 수도 있었을 것이다. 그러나 어차피 산티아고에는 언젠가는 도착할 테니 하루를 투자해 또 다른 여유를 즐기는 기분도 나쁘지는 않다.

까미노에는 경쟁이 없다. 첫째가 꼴찌가 되고 꼴찌가 첫째가 될 수 있는 곳이다. 그러나 동시에 첫째도 꼴찌도 아무 의미 없는 곳이기도 하다. 뒤처짐은 이곳에서 부끄러운 것이 아니다. 팜플로냐에서 만난 프레드릭은 어제 벌써 산티아고에 입성했을 것이다. 하지만 내가 프레드릭과 백 유로짜리 내기를 한 것도 아니고 굳이 앞서가야 할 이유가 없다.

이곳에 온 뒤로 경쟁에 대한 많은 생각을 했다. 인간은, 아니 모든 생물은 태어나기 전부터 경쟁하며 살아가게 된다. 수억 마리의 정자 중에서 난자에 도착하느냐 마느냐, 젖을 얼마나 더 많이 빨 수 있는가, 누구보다 빠르게 뛸 수 있는가, 이 학교에서 공부를 얼마나 잘 하는가, 누가 더 취업을 좋은 곳에 하는가, 재테크를 얼마나 잘 하는가, 이 모든 것이 그 경쟁의 일부분이다. 이 모든 경쟁에서 도태된 이들은 생존에서도 도태되기 마련이다.

나 역시 경쟁 속에 살았다. 내로라 하는 강사들보다 내가 어떤 장점이 있으며 옆 동에 사는 김 아무개보다 내가 성적을 얼마나 빨리 올릴 수 있을지를 쉴 새 없이 어필하며 살았다. 이를 위해서는 학부모들이 아무리 까막눈일지라도 그들의 시선을 확 잡아챌 수 있는 나만의 무언가가 필요했고 지난 7년 간 그것을 위해 모든 것을 내팽개쳤다. 20대가 되고 난 후 정말로 하루하루가 지쳤던 삶이었다.

걷기 시작한 이후 처음 며칠 동안은 경쟁하려 했다. 나보다 앞선 사람을 제치는 데에서 쾌감을 얻었다. 나보다 늦게 출발한 사람이 나를 제치면 괴롭기 그지없었다. 이것이 아무 의미가 없음을 깨닫자 이번에는 스케줄에 얽매이기 시작했다. 20km만 가도 되는 날에 50km를 갔다. 남들보다 하루 더 앞섰고 뭔가 해냈다는 성취감에 스스로 뿌듯했다. 그리고 얼마 더 지나자 나는 지치기 시작했다. 빨리 가봤자 무슨 소용인가 하는 생각이 머릿속에 맴돌았다.

경쟁은 피할 수 없는 생명체의 본능이다. 경쟁이 어떤 형태를 취하든 그것은 대개 개체가 생존하여 자신의 유전자를 널리 퍼뜨리는 데에 주력하게 된다. 그것이 아니더라도 경쟁에는 그 나름의 목적이 있기 마련이다. 경쟁에서 열심히 달린 자는 목적을 성취함으로써 보상을 받는다. 다만 내가 이곳에서의 경쟁에 피곤함과 무의미함을 느끼는 것은 경쟁할 이유를 상실했기 때문이다. 이유를 잃어버리는 순간 경쟁은 의미 없는 낭비가 된다.

이 길 위에서는 적게 걷든 많이 걷든 보상이 언제나 마련되어 있다. 지친 하루 끝 따뜻한 숙소와 음식과 그간의 피로를 날려버릴 향긋한 와인 한 병이 나에겐 그 보상이다. 까미노는 경쟁을 하지 않아도 보상을 받는 곳이다. 추후의 보상을 원한다면 스스로 찾아야 한다. 그러나 그 보상은 빨리 걷는다고, 혹은 여유 있게 걷는다고 주어지는 것이 아니다. 내가 빨리 걸었다면 오 세브레이로의 장엄한 일출을 놓쳤을 것이고 내가 여유 있게 걸었다면 암바스메스따스의 올리 부부를 못 만났겠지. 어쩌면 내가 너무 빨리 걸어서, 혹은 여유 있게 걸어서 놓친 보상이 있을지도 모른다. 보상은 때때로, 예기치 않은 순간에 온다.

이 길은 앞다투어 경쟁할 필요가 없기에 더 풍요로워진다. 그러나 만일 내가 돈 한 푼 없이 이 길 위에 섰다면 과연 풍요로웠을까 싶다. 이따금씩 경쟁을 사회악처럼 말하는 이들이 있는데, 이는 내가 느낀 바가 아니다. 경쟁 없는 삶은 만수르처럼 무척 부유해 경쟁할 가치도 없는 삶이거나 모든 것을 다 놓아버린 삶이다. 피레네의 산맥들이 움직임 없이 평화로워 보이지만 그 속에도 언제나 경쟁이 자리하고 있다. 정신없이 도망가는 쥐와 뒤를 쫓는 고양이 역시 경쟁의 관계이다. 오히려 이 경쟁은 목숨을 건 경쟁이기에 한국에서의 삶보다 훨씬 치열하다.

경쟁은 목적이 있기에 의미가 있다. 그럼에도 불구하고 우리가 지치는 이유는 언제 이 경쟁이 끝날지 모르기 때문이다. 경쟁은 상대적인 것이기에 남이 하는 것 이상을 해야 보상받을 수 있다. 한국보다 사회 양상이 십 년 더 빠르다는 일본에서는 프리터 족의 등장이 사회 이슈이다. 정규직을 갖지 않고 아르바이트를 하며 삶을 이어나가는 사람들이다. 아마 아무리 뛰어도 합당한 보상이 주어지지 않는 삶에 지쳤을 것이다. 이 사람들은 그저 하루하루 돈을 벌어 유지하고 취미생활을 해나가는 데에 만족한다. 경쟁을 포기한 이들의 삶은 소박하다. 큰 야망이 없지만 큰 걱정도 없을 것이다. 하지만 이들은 경쟁을 포기함과 동시에 많은 것을 포기한다. 가정을 꾸리는 것은 물론이고 보통 소유의 대상이 되는 것들을 많이 떨쳐내야지만 영위할 수 있는 삶이다.

하지만 모든 프리터들이 온전히 욕망에서 자유로운지는 별개의 문제이다. 적어도 내 기준에서는 무언가를 소유하고 있음이 욕망을 뜻하지 않는 것처럼 무욕과 불(不)소유는 서로 동의어가 아니다. 경쟁에서 도태되어 어쩔 수 없이 하루하루 살아내는 것은 무욕, 무소유와는 거리가 멀다.

마치 상투적인 자소서의 첫머리처럼 나는 자애로운 어머니와 엄하신 아버지가 계신 행복한 집에서 태어나 대학생 때까지 모자람 없이 자랐다. 대학생 때는 초반에 조금 쪼들렸다. 같은 처지인 후배 한 명과 주머니를 털어 라면 한 봉지를 나눠먹기도 하고 야간 노가다를 뛰고 다음날 수업을 나가기도 했다. 그러나 하던 일이 잘 풀려 이십대 초반을 제외하고는 나름 풍족하게 살았다. 무욕과 무소유에 대해 생각하기에는 소유한 것이 너무 많았던 주제넘는 삶이었나 하는 생각도 든다.

그러나 이것 하나는 알 수 있다. 내가 무욕했던 시기는 라면 한 봉지를 나눠먹던 그 시절은 분명 아니었다. 무욕을 다시 정의해보았다. 모든 것을 다 가졌던 사람이 그것을 다 잃어도 흔들리지 않는 것이 무욕이고 아무것도 없던 사람이 온 세상을 가져도 변하지 않는 것이 무욕이라고.

까미노를 걸은 지 오늘로 딱 한 달째인데 나는 아직도 욕심을 버리지 못했다. 사실 일평생 이것을 버릴 수 있을지나 모르겠다. 욕심이라는 것은 버린 줄 알았어도 순식간에 따라와 어느새 고개를 내미는 녀석이다. 다만 예전에는 이것이 무엇인지도 모르고 휘둘렸다면 이제는 적어도 욕심의 실체가 보이기 시작한다. 실체가 보이니 잡을 수도 있다. 욕망을 아예 떼어내지는 못했지만 그래도 잠깐 욕망을 내려놓고 걷는 법은 터득해가고 있다. 욕망에서 비롯된 맹목적인 경쟁을 피하고 경쟁의 목적에 대해 잠깐 생각하다 보면 본질이 보인다. 그러면 본질에 덕지덕지 붙어 있던 허영된 욕망도 보인다. 남은 것은 벗겨내는 일뿐이다. 나는 오늘도 순례의 막바지에 다다라서야 조금 더 순례자가 되어간다.

두려움에
관하여

오랜만에 먼 길을 걷게 되어 아침 일찍 길을 떠났다. 어둑한 새벽 길은 앞을 대낮같이 비추어 주는 헤드랜턴이 있더라도 느리게 가게 된다. 다소 모순적으로 들릴 수 있겠다. 그러나 만물이 보이는 밝은 낮길에서와 달리 오히려 볼 수 없던 것들은 한 치 앞을 못 보는 밤길에 드러나곤 한다. 내 발길을 잡는 것들이다. 오늘 밤하늘에서는 칼날 같은 그믐달과 은하수를 볼 수 있었다.

은하수를 처음 보았을 때는 어떻게든 이 기억을 사진에 담아가려 발버둥쳤더랬지. 아무리 노력해도 잡히지 않는 은하수를 보며 카메라를 놓고 온 것이 천추의 한이었다. 그러나 이제는 은하수를 사진에 담으려는 욕심을 버리고 잠깐 멈춰 서서 멍하니 하늘을 바라볼 수 있게 되었다.

오늘도 일찍 길을 떠났다.

새벽길은 걷다 멈추어 달을 보고 걷다 멈추어 별을 보고 걷다 멈추어 일출을 보는 길이다. 처음에는 새벽길을 걷기 두려워했다. 헤드랜턴 불빛을 제일 강하게 해도 발 밑밖에 보이지 않는, 모든 것을 집어삼키는 어둠이 두려웠다. 안개가 두려웠고, 목청껏 새벽을 짖는 개가 두려웠다. 걷다가 자갈이라도 밟으면 발목은 인정사정 없이 돌아가는데, 어둠 속에 숨어있는 자갈을 피하기란 쉬운 일이 아니다. 그러다 해가 떠오고 사물의 모습을 또렷하게 보게 되면 나는 그제야 안도의 한숨을 내쉬었다. 아마 새벽길을 몰랐기 때문일 것이다. 하지만 점점 새벽길을 알게 되면서 나는 어둠 속에 안길 수 있게 되었다.

한 대상에 대한 두려움은 세 단계를 거친다. 첫 단계는 무지에서 오는 막연한 두려움이다. 예를 들면 첫 새벽길을 걷기 전에 닥치는 두려움일 것이다. 태어나 세상을 알아가는 아기가 불을 알기 전에 접하는 열이란 부모님 품 속의 따뜻함뿐이다. 그렇지만 아기는 불에 다가가면 제지를 받기 때문에 저것은 위험한 것이라는 지식만 가진다. 서서히 불에 대한 경각심이 생기기 시작한다.

두 번째 단계는 경험에서 오는 두려움이다. 어둠 속 길을 걷다 자갈을 밟아 발목이 돌아가거나 저 멀리 개 짖는 소리가 들릴 때 느끼는 현실적인 두려움이다. 아무리 부모님이 막는다 해도 아기는 일렁이는 불꽃과 따스한 열기에 매료되어 불로 다가간다. 경험이 없기 때문이다. 그리고는 이내 손가락을 데어 펑펑 울며 돌아온다. 자신이 알고 있던 열에 대한 경험을 갱신한 것이다. 앞으로

이 아기는 불에 대한 트라우마를 안고 살아가겠다.

아기는 어느덧 커서 청년이 되었다. 소방관이 되고 싶다는 원대한 꿈을 가지고 시험에 합격하여 결국 소방관이 된다. 이제는 유년기의 트라우마를 극복해야 할 때가 되었다. 활활 타오르는 불 가까이가 아닌 불 속으로 뛰어들어가는 것도 마다하지 않아야 한다. 불에 데어 본 경험이 있기 때문에 불이 두렵지만, 그렇기 때문에 불을 극복할 수 있다. 불에 데어 보지 못한 사람은 소방관이 될 수 없을 것이다. 새벽길이 두렵던 나는, 새벽에 자갈밭을 걷다 발목이 돌아갔던 나는 오늘도 새벽길을 걷고 있다. 이것이 세 번째 단계이다.

두려움은 경험 때문에 생긴다. 그러나 그 경험은 또한 두려움을 극복하게 도울 것이다. 어제 알베르게에서 만난 가브리엘레는 이탈리아인이다. 선박 대여업체에서 일하고 있었다. 그러나 1년 전 갑자기 포르투갈 시골로 이사하여 도자기를 빚으며 살고 있다고 한다. 모든 것을 한꺼번에 내려놓기란 쉬운 일이 아니다. 프로미스타의 루르드와 암바스메스타스의 올리 부부와 가브리엘레는 내 기준에서는 이해하기 힘든 사람들이다. 나는 모든 것을 내려놓기가 두렵다. 모든 것을 한꺼번에 내려놓는다면 나는 어떻게 살아야 하나.

가브리엘레에게 어떻게 그렇게 살 수 있냐 물었다. 밤은 짧고 이야기는 길었다. 짧은 밤에 이야기를 다 못 담아 아쉬웠다. 아쉬워하는 내게 가브리엘레는 포르투갈에 있는 자기 집으로 오라 했

: 늦은 가을 향취가 물씬한 하루였다.

다. 본래 일정은 까미노를 1월 1일에 마치고 묵시아로 걸은 후 포르토까지 쭉 긁어내려 1월 17일에는 포르토에 도착하는 것이었다. 그 다음에는 세비야, 지브롤터, 그라나다를 거쳐 바르셀로나와 마드리드를 관광하려 했다. 그런데 까미노를 걸으며 속박에서 더욱더 자유로워지려는 욕구가 생겨 마음 가는 대로 걸었다.

　이미 나는 자유롭다. 마음 가는 대로 갈 수 있다. 하지만 아직 등에는 20kg짜리 짐을 지고 있는 기분이다. 숙소에 도착해 17kg 짐을 내려놓고 동네를 한 바퀴 돌 때의 기분은 자유롭게 까미노를 걷는 기분과는 또 다르다. 가고 싶은 곳으로 갈 수 있는 것과 무

거운 짐을 지고 있는 것은 다르다. 이제 자유를 얻었으니 가벼움
도 얻고 싶다.

까미노를 포르토까지 마치고 마음의 짐을 내려놓으러 가브리
엘레의 집에 가겠다고 했다. 예상치 못한 일정이 생겼다. 하지만
행복하다. 나는 언제부턴가 정해진 일정 따위는 상관 없는 길을
걷고 있었다.

 : 팔라스 델 레이 → 아르주아

우리가
필요로 하는 것들

먼지, 진흙, 태양과 비
산티아고 가는 길
수천 명의 순례자들
그리고 천 년이 넘는 시간

순례자여, 누가 당신을 이곳으로 인도했는가?
누가 당신을 이곳에 오도록 만들었는가?

그것은 별을 비추는 들판도 아니고
거대한 대성당도 아니다
용감한 나바로도 아니며
리오하의 와인도 아니다

갈리시아의 해산물도 아니고
가스띠야의 언덕도 아니다

순례자여, 누가 당신을 이곳으로 인도했는가?
누가 당신을 이곳에 오도록 만들었는가?

그것은 까미노의 사람들이 아니고
시골의 관습도 아니다
역사와 문화도 아니며
깔사다의 수탉도 아니고
가우디의 궁전도 아니며
뽄페라다의 성도 아니다
길을 지나며 그 모든 것을 보았고
그것들을 보는 것은 즐거운 일이었지만
나를 부르는 그 이상의 목소리가 있으니
마음속 깊이 그것을 느낀다
나를 밀어내는 힘
나를 끌어당기는 힘
내가 그것을 설명할 수는 없다.
단지 하늘에 계신 그분께서만이 아실 뿐이다.

― 신부 에우제니오 가리바이

아기들은 말로 표현을 못 할 뿐 자신들이 필요한 것을 잘 안다. 배가 고파 우는 아기에게는 젖병을 물려주면 아기는 울음을 그친다. 아기 돌보기가 어려운 것은 하나의 수단으로 표출되는 그들의 욕구를 세상이 이해하기 어렵기 때문이다. 하지만 세상을 알아가며 인간은 다양한 욕구를 품게 되고 자신이 진정 필요한 것이 무엇인지 헷갈리게 된다. 그러다 보면 욕구를 채우려는 우리는 기저귀가 젖어 우는데 젖병을 선사받은 아이처럼 계속 울게 될 뿐이다.

까미노를 걸으며 계속 스스로에게 던진 질문은 나는 왜 이 길을 걷는가였다. 왠지 모르겠지만 나는 고등학생 때부터 이 길을 걷기를 원했다. 이 길 위에 무엇이 있는지는 전혀 몰랐다. 그렇게 8년에 가까운 시간이 흘렀다. 작년에 비행기표를 끊었을 때는 잠깐

: 산티아고 입성까지 20km

산티아고는 생각보다 큰 도시였다.

쉬고 오겠다는 생각뿐이었다. 그러다 진로가 크게 뒤흔들리고 나니 뭐라도 얻고 와야겠다는 목표 의식이 생겼다. 적어도 먼저 다녀온 사람들이 그랬던 것처럼 나 자신에 대한 이해를 제대로 하고 싶었다.

그러나 800km를 걸어 도달한 별들의 평원에 묻힌 보물은 없었다. 산티아고 대성당 앞 광장으로 들어설 때 불현듯 터지는 감정도, 한순간에 세상의 이치를 깨닫는 일도 없었다. 터덜터덜 마지막 40km를 걸어 도달한 그곳에는 나를 반가이 맞아주는 H와 C가 있었을 뿐이다. 사실 걸어오며 매일 마주치는 풍경과 생각들 그 자체로 만족했기 때문에 큰 기대는 없었다. 그래도 한 달이 넘는 시간 동안 800km를 걸어 도달한 길인데 담담하게 눈물 한 방울 안 나는 것은 너무하다 싶었다.

충분히 힘들지 않아서 그랬나. 감사하게도 내 발은 하루에 길면 50km를 걷는 강행군에도 물집 하나 잡히지 않았다. 제일 걱정이었던 발목은 며칠 쉬고 천천히 걷는 동안 씻은 듯 나았다. 하나씩 버리면서 걷자는 취지로 싼 15kg짜리 배낭은 무게가 줄어들기는 커녕 도중에 20kg로 무게가 늘었다. 힘들긴 했어도 죽을 정도는 아니었으니까 만일 죽을 만큼 힘들었으면 펑펑 울었을까.

산티아고에 도착하자 여태 쌓였던 긴장이 풀리면서 여태 겪지 않았던 피로가 한꺼번에 나를 덮쳤다. 도착한 다음 날 열이 오르며 몸살이 났다. 밥만 먹고 나머지 시간에는 숙소에 죽은 듯 누워 있었다. 그 다음 날에는 열이 조금 내렸지만 뭔가를 잘못 먹은 듯

산티아고 도착

위염과 장염에 동시에 걸렸다. 활활 타는 몸뚱아리와 그 속에서 경련을 일으키는 오장육부를 이끌고 미사를 참례했다. 미사에서 오랜만에 만난 길동무들과 어쩔 수 없이 가벼운 점심을 하자 저녁 때는 저승 문고리를 잠깐 만지고 온 착각이 들 만큼 아팠다.

오늘은 아무것도 하지 않고 계속 방에 누워 쉬었다. 사실 수십 분 간격으로 한 번씩 화장실에 가주어야 했기 때문에 밖으로 나갈 수도 없었다. 물통을 하나 옆에 끼고 누워 쉬었다. 인간의 몸이 간사한 게 엊저녁부터 아무것도 안 먹었더니 그 와중에 배가 고프다. 입맛은 없었지만 배가 고파 뭐라도 쑤셔 넣고 싶었다.

누워 있으며 이때 먹고 싶은 음식은 과연 나에게 필요한 것인가 고민을 했다. 나는 지금 음식을 원하지만 사실은 내게 필요하지 않은 것을 원하고 있을지도 모른다. 내가, 심지어 몸이 원한다고 해서 나에게 필요한 것은 아니다.

부모님이 되려면 꽤 현명해야 한다. 마트 과자 코너 앞에서 이성을 잃는 아이를 잘 타일러야 하기도 하고, 불어난 물가에서 물장구를 치고 싶어 하는 아이를 끌고 들어오는 엄함도 때로는 필요하다. 이것은 현명한 부모라면 아이에게 지금 무엇이 필요한지를 잘 알기 때문이다.

삼십여 일간 길을 걸으며 스스로 아이같이 단순해지고 있다고 느꼈다. 하지만 그 길 위에서 나는 절대 단순하지 않았다. 나는 결국 내 스스로가 무언가를 찾아내기를 원하고 있었다. 그것이 무엇인지는 나도 몰랐다. 그것이 내 자신의 본모습이든지 무욕의 상태이든지 막연히 찾으면 좋을 것이라고 상상만 하고 있었다. 그러나 까미노는 내가 그것들을 찾고 있는 동안 적재적소에서 더욱 큰 것들을 때로는 무지개로, 때로는 안개에 묻힌 산골 마을로, 일출로, 일몰로, 밤하늘로, 사람들로 안겨주었다. 어린아이 같던 나는 길을 걸으며 덕분에 더없이 행복하고는 막상 도착한 다음 얻은 것이 없다는 생각에 화를 냈다.

우리는 너무나 복잡해서 많은 것을 원하면서도 정작 우리가 무엇을 필요로 하는지 모른다. 그래서 답이라 생각되는 것을 찾아 맹목적으로 질주한다. 그러나 정작 우리가 필요로 하는 것들은 우리가 우리 자신을 두기 포기한 곳에서 빛을 내고 있을 수도 있다.

조금 더 단순해지고 작아지고자 한다. 건강이 괜찮다면(세 시간에 한 번 이상 화장실을 가지 않고 감히 뭔가를 먹어도 속이 괜찮다면) 내일은 다시 400km를 새로 시작해 걷게 될 것이다. 단순함을 깨우치게 한 생장부터 산티아고의 길과는 달리, 산티아고에서 피스테라로, 그리고 다시 포르투로 걷는 400km 남짓의 여정은 나를 단순함에 적응시키는 길일 것이다. 더 천천히, 보이는 대로 느끼며, 잠시 벤치에 누워 하늘도 즐기는 여유를 갖고 걸으련다. 내가 단순해져도 결국 내가 돌아갈 사회는 복잡하다. 배경마저 단순한 이 길을 기회가 있을 때 충분히 걸으며 마음속에 담고 싶다.

 ：아르주아 → 산티아고 데 콤포스텔라

어떤
낙엽

실로 오랜만에 걸었다. 오르막에 땀을 뻘뻘 흘리면서도 즐거운 것을 보면 나는 마치 피터 래빗이 깡총 뛰어나올 것 같은 갈리시아의 낙엽길이 그리웠나 보다.

낙엽길을 한창 걷다 들어간 바에서 무심코 등산 스틱을 보았다. 어느 나무의 것인지 모를 낙엽들이, 추억들이 날카로운 스틱 끝에 꽂혀 있었다.

낙엽들을 보며 맥주 큰 잔 하나를 비웠다. 무슨 인연으로 나와 길을 함께 걷고 있을까. 오늘 닿을 목적지까지 함께 걸었으면 했다. 그러나 꽂힌 낙엽을 잃지 못하면 스틱을 짚을 수도 그 자리에 멈추어 밤을 지샐 수도 없다.

다시 낙엽길을 걸었다. 지나간 나무들의 추억은 어느새 하나

다시 시작이다.

:

오늘의 여정을 함께한 어떤 낙엽

오늘의 길은 예쁜 낙엽길이었다.

둘씩 사라지고 새로운 나무들의 추억들이 꽂혔다 사라졌다 했다.

약 두 시간을 더 걸어 알베르게에 도착하니 스틱 끝에는 바에서부터 나와 걸어오던 낙엽 하나와 처음 보는 낙엽 몇몇이 남았다.

삶을 걸을 때도 수많은 나무의 낙엽들이 스틱에 꽂혔다 사라졌다 할 것이다. 하지만 어떤 낙엽들은 오늘 마지막 낙엽 하나와 같이 삶의 마지막 순간까지 함께하겠지.

생각해 본다. 내 삶의 마지막 순간에 나와 함께 남을 마지막 낙엽들은 어떤 나무의 것일까. 어떤 것일까.

 : 산티아고 데 콤포스텔라 → 네그레이라

아,
바다

태생이 섬이라 그런지 바다를 참 좋아한다. 아버지의 고향은 섬 속에서도 어촌인 성산이다. 젊은 시절, 할머니는 해녀셨다. 해병 대를 나오지는 않았지만 나는 그 유전자 덕인지 바다에 살고 바다에 죽었다.

고등학교 때 공부가 유난히도 하기 싫던 날에는 아프다고 꾀병을 부리곤 했다. 집에 가면 으레 집과 가까이서 일하시던 아버지가 집에서 논문을 읽고 계셨기 때문에 꾀병 부린 날에는 집에 갈 수 없었다. 학교가 가까웠기 때문에 설사 아버지를 마주치더라도 집에 놓고 온 것이 있다 둘러대면 그만이었다. 그랬던 날이면 나는 바다로 향했다.

나의 모교, 오현고등학교는 바다까지 걸어서 불과 10분 정도밖에 안 걸리는 위치에 있다. 비록 뒤를 가로막고 있는 야트막한 산 때문에 바다를 직접 볼 수는 없지만 조금 걸으면 바다를 볼 수 있다는 점은 그 어느 명문고보다 우월했다. 때로는 땡땡이를 치고, 때로는 야간 자율학습 시간 전에 친구와 함께 바다를 보러 갔다. 어떤 날에는 자율 학습이 끝나던 때까지 넋을 잃고 밤바다를 보았다. 다음 날 담임 선생님께 엉덩이를 각목으로 열 다섯 대 맞았지만 후회는 없었다.

고3 수능을 말아먹고 간 곳은 대마도였다. 생각도 안 했던 실패기에 정말로 죽고 싶었다. 자전거를 타다 올라간 어느 봉우리에서 둥둥 떠 있는 작은 섬들과 바다를 보며 마음을 다잡고 재수를 했다.

: 다시 걸어야 하는 거리가 늘어났다.

재수 때는 차마 바다를 보러 갈 수 없어 한강으로 대리만족을 했다. 노량진 앞 유유히 흘러가는 한강은 바다로 향했다. 재수 중간에 있었던 4개월의 묵언수행 동안 바다 대신 강을 보며 한을 삭혔다. 그러다 마음에는 병이 났다. 그때 내가 스스로에게 내린 처방은 바다를 보는 것이었다. 다시 제주도로 내려가 마음껏 바다를 보고 왔다. 다행히 아무 일 없이 재수를 끝마칠 수 있었다.

　　그리고 재수도 망했다. 지지리도 안 풀리는 내 인생. 바다로 갔다. 짠내를 가득 들이마시고 눈물인지 바닷물인지 모를 물을 얼굴에 가득 뒤집어 썼다. 바다에 뛰어들 자신은 없었지만 바다에다가 악다구니를 쏟아부을 자신은 있었다. 바다는 그 날도 묵묵히 내 말을 들어주었다. 그 후로 언제나 가슴이 턱 막히고 목이 옥죄어 올 때는 바다를 찾았다. 바다는 내가 무어라 하든 들어주었기에. 뭐라 하는지도 모를 처얼썩거리는 파도로 대답해 주었기에.

　　바다는 늘 한결같은 어머니였다. 잔잔한 날도, 파도가 방파제에 부딪혀 내가 앉아있는 자리까지 튀기던 날도 있었지만 바다를 보러 간 날은 언제나 마음이 편했다. 잔잔한 날이든 파도가 심한 날이든 수평선은 언제나 어머니처럼 한결같았고, 나는 그 수평선을 보며 올곧게 살고 싶다 했다.

　　오늘 태어나 제일 아름다웠던 바다를 보았다. 고향 제주도의 바다부터 하와이의 바다, 샌프란시스코의 바다, 정동진의 바다, 부산의 바다 등 많은 바다를 보았다. 그러나 그 어떤 바다도 오늘 보았던 바다에 비할 수 없었다.

오랜만에 바다에서

생-장-피에-드-포흐트를 떠나 어느새 855km 정도를 걸었다. 매일 아침 지평선에서 떠오르는 해를 보고 지평선을 보고 걷고 지평선으로 지는 해를 보며 하루를 마무리했다. 그리고 드디어 오늘 대서양의 수평선을 보았다. 멀리서 보았을 때는 그저 푸른 안개인 줄로만 알았다. 그러나 점점 다가가 바다에 뜬 두 번째 태양을 보고 나서야 정녕 바다인 줄 실감했다.

바다는 잔잔했다. 가만히 넘실댈 뿐 바위에 부딪혀 흰 포말을 남기는 거센 파도는 없었다. 마치 바다 같았지만 바다는 아니었던 미국의 오대호 같았다. 하지만 얼마 걷다 보니 익숙한 쇠똥 냄새 대신 익숙하지만은 않은 비릿한 냄새가 코를 찌른다. 늘 맡았지만 이제는 낯설어 어색해져 버린 냄새다. 냄새는 이윽고 후각에 관련된 기억을 깨웠고 나는 고향에 돌아온 듯 더없이 행복해졌다.

 : 네그레이라 → 쎄

세상의
끝에서
행복을 외치다

안헤도니아. 이름도 기묘한 이 병은 갑자기 행복을 잃을지도 모른다는 공포에서 기인하는 병이다. 알랭 드 보통의 『나는 왜 너를 사랑하는가』에서 연인은 스페인 안달루시아 산악 지방으로 여행을 떠난다. 사랑하는 사람과 더할 나위 없는 행복을 누릴 수 있을 환경인데도 불구하고 여자 주인공은 안헤도니아 증상을 느끼며 앓아누운다. 안헤도니아 환자는 행복한 환경에서도 행복을 느끼지 못하고 오로지 불안만이 그를 감싼다.

0,000km 표지석을 결국 내 눈으로 보고야 말았다. 걸어서. 생장부터 산티아고까지 800km. 그리고 세상의 끝이라는 피스테라까지 다시 70km. 점점 줄어드는 표지석의 숫자는 나에게 뿌듯함을 매 순간 선사했지만 동시에 나는 원인 모를 야릇한 허무함을

느끼기도 했다.

어제 묵은 쎄에는 굳이 묵을 필요가 없었다. 산티아고로 향하는 길 위에서는 하루에 최소 20km, 많게는 50km를 걸었다. 어제와 오늘 걸어야 했던 거리를 합쳐봤자 33km일 뿐이었다. 산티아고에서부터 자주 얼굴을 보던 올리버와 프랜시스, 알레한드로는 그저께 같은 숙소에 묵고서는 하루 만에 피스테라로 갔다. 그럼에도 불구하고 나는 굳이 조금씩 걷기를 바랐다. 사실 이대로 영원히 걸으며 살았으면 했다. 과연 이 행복을 유지하기 위해서 포레스트 검프처럼 매일매일 걷기만 하는 삶을 살아야 하는가.

: 오늘도 그림자만이
  나의 길동무였다.

조금씩 걸을 뿐만이 아니다. 일부러 길을 게을리 걸었다. 다리가 아프지도 않은데 한참을 쉬었다 가고 바다가 보이면 한 시간 동안 앉아 멍하니 바다를 보다 다시 길을 떠나기도 했다. 바가 보이면 또 한 시간씩 머물렀다. 어제나 오늘이나 평소 같으면 3시간이면 충분했을 15km였는데 굳이 쉬엄쉬엄 5시간 반 동안 걸었다.

그러나 표지석은 잔인했다. 아무리 천천히 걷고, 매일매일 조금씩 걸어도 얼마 안 걷고 표지석을 보면 앞자리 숫자가 하나씩 내려와 있다. 길은 곧고 나는 어쩔 수 없이 발걸음을 내딛기에 당연한 일이었다. 쎄에서 피스테라까지 수많은 해변이 나를 붙잡았지만 결국에는 도달할 수밖에 없었다. 그렇게 나는 피스테라에 입성했다.

피스테라는 끝을 의미한다. 로마시대에 지어진 이름이다. 유럽 대륙 최서단인 이곳을 로마인들이 정복하고는 세상의 끝이라 불렀다. 아닌게 아니라 피스테라 곶에 서면 한 발짝 내디딜 수 없는 깎아지른 절벽이 앞을 가로막고, 절벽 아래부터 수평선을 가득 메운 대서양을 볼 수 있다. 세상의 끝이라 생각했을 만하다.

피스테라 곶에서 대서양으로 지는 해를 보았다. 하늘 위 붉은 잉크 한 방울은 점점 축구공, 농구공만 해지며 눈앞 가득 펼쳐진 파란 종이 위에 점을 찍는다. 그렇게 나도 870km의 여정에 마침표를 찍었다.

해는 금방 졌지만 나는 계속 싸늘한 바닷바람을 맞으며 곶 위의 돌에 한 시간 반 동안 앉아 있었다. 해가 지면 동서남북 하늘에

세상의 끝이라는 이름에 어울리는 일몰

드리워진 파스텔톤 커튼이 걷힌다. 커튼이 걷힌 맑은 밤하늘은 초승달이 해를 대신해 밝혔다. 강렬한 태양빛에 가려진 별들이 하나둘 고개를 내민다. 언제 보아도 경이로운 순간이다.

모자를 두 겹 쓴 보람도 없이 머리를 바닷바람이 거세게 몰아붙이고 손이 얼어붙고 돌의 냉기는 허벅다리에 완전히 전해져 감각이 없었지만 나는 그 순간 얼어붙어 돌이 된다 해도 좋았다. 지금 이 자리를 떠나면 다시는 볼 수 없을 풍경이라 생각했고 이 풍경을 잃는다는 것에 대한 공포를 느꼈다. 가슴 속에 별을 하나라도 더 품고 가고 싶었다. 그러나 모순적이게도 나는 담으면 담을수록 공허했다.

딱 얼어 죽기 직전에 내 인간적 나약함은 삶의 의지에 불을 붙였다. 다리가 저려서 제대로 일어나지 못하는 몸을 겨우 일으켰다. 얼어붙은 몸을 카페에서 와인 한 잔으로 녹이고 숙소로 돌아가는 길을 걸었다. 가로등 불빛 하나 없는 도로는 어둠 그 자체였다. 지나다니는 차도 한 대 없었다. 산, 바다, 별, 달, 그리고 나만이 있었다. 핸드폰 플래시에 의존해 어둠으로 뒤덮인 3.3km 길을 걸어 내려가기 시작했다.

핸드폰 플래시는 별 도움이 안 되었다. 한 치 앞을 비추어 주기는 하지만 한 치 앞을 비추어 주는 대신 수십 미터 앞을 못 보게 한다. 오른쪽으로는 바다로 빠지는 천길 낭떠러지가 있는 구불구불한 길이라 한 치 앞을 보고 수십 미터 앞을 못 본다면 더욱 위험하다. 플래시를 껐다.

여정 내내 별은 언제나 나를 황홀하게 했다.

플래시를 끄자 달빛이 나를 이끌었다. 시야가 적응되자 앞이 조금씩 보이기 시작했다. 보름달도 아닌 초승달인데 이렇게 밝은가 싶어 하늘을 올려다보았다. 핸드폰 플래시를 끄고 하늘을 본 그 순간, 곶 위에서 아무리 담으려 해도 담지 못하던 밤하늘은 순식간에 내 안으로 들어왔다.

걷던 길을 멈추고 다시 하늘을 한참동안 바라보았다. 아까 망부석이 될 뻔했던 그 자리를 뜨면 잃어버릴 것만 같던 밤하늘이 나는 항상 네 곁에 있단다 하고 말을 걸어오는 듯했다. 단지 핸드폰 플래시를 끄고 걸었을 뿐인데 오늘도 감동은 깜짝 선물처럼 나에게 왔다.

어설프게 행복을 담으려 했다. 이마트 폐점 시간 떨이 상품을 쓸어 담듯이 행복을 담으려 들면 행복은 점점 달아나고, 나는 실의에 빠지게 된다는 것을 몰랐다. 매 순간 감동받고 표출하며 이 길을 걸었다. 그러나 길의 막바지에 다다른 나는 안헤도니아 환자였다. 행복은 눈앞에 있는데, 그것을 곧 잃을 수도 있다는 생각에 두려워 눈앞에 있는 행복을 보기만 했다.

길 위에 선 이후로 길을 걷는 행위는 내게 행복이었다. 하지만 먹는 것이 행복하다고 영원히 먹기만 하면서 살 수 없듯이 영원히 행복하기 위해 이 길을 영원히 걸을 수는 없다.

길을 걸으며 한국에서의 내 모습을 많이 반성했다. 다시 길의 끝에 서서 질문을 던진다. 과연 한국에서의 나는 불행했나. 쉽사리 대답하지 못한다. 행복한 순간들이 있었다. 매 순간순간이 행복하지는 않았지만 그건 까미노 위 역시 마찬가지다. 그렇다면 나는 왜 까미노 위에서 그렇게 행복하다 느꼈나. 아마 행복을 그때그때 잡을 여유가 있었기 때문이 아니었나 싶다.

까미노 위에서만 행복한 사람이라면 까미노는 단지 한여름철의 짧은 휴가와 같다. 휴가 동안 잠깐 행복하고 다시 불행한 일상으로 복귀해야 한다. 애초에 그럴 거면 한 달이 넘는 시간 동안 이곳에 오는 것은 애지간한 트래킹 매니아가 아니라면 시간낭비에 불과하다. 까미노를 걷는 비용을 들이고도 같은 시간 동안 행복할 수 있는 곳은 세상에 많다.

지금까지 모든 여정은 아니지만, 나는 막바지 여정 며칠을 휴가처럼 보냈던 것 같다. 보내고 나면 이내 한 컷의 아름다운 추억으로만 남을 그런 류의 휴가 말이다. 이제 얼마 안 있어 까미노가 끝난다는 생각은 내게 한 치 앞밖에 보지 못하게 했고 이런 결과를 낳았다. 돌아간 이후에도 까미노를 걷는 것처럼 살아야 하겠다. 지루하기 짝이 없는 메세타에서도 그 광활함에 감탄하듯, 오 세브레이로의 험난한 진흙 밭 오르막을 오르고도 뒤를 돌아보며 눈물을 흘리듯, 걸어야 할 길이 얼마 안 남았음에 슬퍼할 것이 아닌 눈앞의 노을을 보고, 별을 보며 황홀경에 빠지듯.

오늘 세상의 끝에 도달했다. 내일은 시작인 묵시아로 걸어간다. 그러고 나면 총 100km에 달하는 두 번째 여정이 끝나고, 산티아고에서의 잠깐 휴식 후 다시 세 번째 여정을 시작하게 된다. 오늘 도착한 피스테라는 죽음이고 묵시아는 부활이라고 한다. 나는 죽어서야 깨닫는 어리석은 순례자였다. 이곳에서 나는 모든 여정을 마치고 죽었지만 다음 여정이 기다리고 있으니 새 삶을 얻은 기분이다. 내일은 안헤도니아 대신 매 순간 행복이 나를 급습하길 기도해 본다.

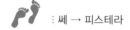 : 쎄 → 피스테라

그 길의
끝에서

총 1200km, 삼천리를 걷고 오겠다며 호기롭게 한국을 떠났다. 그러나 걷다 보니 삼천리를 모두 걷기 전에 언젠가는 길 위에서 멈추게 될 날이 올 것이라는 생각이 들었다. 그리고 그 날은 아무런 예고 없이 갑작스럽게 찾아왔다.

아침에 일어나 묵시아로 가기 위해 옷을 갈아입는다. 허벅지 안쪽이 허전하다 싶어 더듬어 보니 어느새 바지가 해져 찢어져 있었다. 길을 시작할 때 프랑스에서 면으로 된 등산바지 두 벌을 샀다. 빨래하며 번갈아 입다 보니 그 중 하나는 산티아고에 도착한 날 찢어졌고, 그로부터 70km를 더 걸은 오늘 드디어 나머지 한 벌도 찢어졌다. 순간 여기까지인가 보다 하는 생각이 들었다.

이왕 이렇게 된 거 소지품 점검을 쭉 해보았다. 닳은 것은 바지

뿐이 아니었다. 알루미늄으로 된 스틱의 끝은 반이 닳아 없어졌다. 한국에서 샀을 때는 딱딱하고 울퉁불퉁하던 신발 바닥도 이제는 매끈하게 닳았고 등산화 끈은 끊어질 듯 말 듯하다. 두툼한 등산 양말은 발바닥 부분만 얇아졌다. 먼 길을 걸어온 흔적이 나도 모르는 새에 군데군데 남았다.

이제는 헐렁해져서 조금만 걸어도 내려가버리는 트레이닝 바지를 부여잡으며 걷는 것은 쉬운 일이 아니다. 그렇다고 버스를 타고 묵시아까지 향하자니 뭔가 아쉽다. 카페에 앉아 아침을 먹으며 고민에 빠졌다.

오늘 걷는다면 아름다운 길로 기억에 남을 것 같지 않다는 결론을 내렸다. 지금 담아두려고 아무리 용을 써봐도 어제 피스테라 곳의 밤하늘처럼 담지 못할 길이라면 차라리 언젠가 다시 와서 걸을 길을 남겨두기로 했다. 이렇게 나의 까미노는 막을 내렸다.

버스를 타고 지난 4일간 걸은 길을 따라 산티아고로 돌아갔다. 구불구불한 길 때문인지 느껴본 지 너무나 오래된 속도감 때문인지 현기증이 났다. 걸을 때는 지나가는 표지판에 어떤 낙서가 있는지, 길에 어떤 나무가 심어져 있는지, 유모차 속의 아기는 어떤 표정을 짓고 있는지를 생생히 볼 수 있었다. 버스 안에서 보이는 것이란『소설가 구보씨의 일일』속 전차 안 인물들마냥 지루하게 시간을 보내는 승객들과 감상할 시간도 없이 빠르게 스치는 풍경들이다. 그간 느린 것에 익숙해졌다면 순례가 끝난 지금은 빠른 것에 익숙해져야만 하는 시간이다. 하지만 빠름에 익숙해지더라도 느릴 때 보이는 것들이 있음을 잊지 않고 싶다.

　스페인에 처음 왔을 때는 스페인 사람들이 무엇을 말하는지 하나도 알아듣지 못했다. 그러나 나름대로 공부를 해가다 보니 이제는 대략 이 사람이 무엇을 말하는지 알 수 있게 되었다. 내가 무지의 상태 안에 있었을 때와 그렇지 않을 때의 차이다. 이처럼 느릴 때 보이는 것들은 분명 언제나 그 자리에는 존재하지만, 알아야 비로소 보이는 것이다.

　멀미가 나서 눈을 감으니 지난 여정이 꿈 대신 찾아온다. 죽도록 힘들었던 첫날 론세스바예스, 마을에 들어설 때 불타오르던 하늘을 배경으로 들리던 성당 종소리, 열정이 넘치던 팜플로냐의 밤거리에서부터 갈리시아의 동산들과 낙엽길, 대서양으로 지던 어제의 석양, 깜깜한 도로에서 별빛과 달빛에 취해 홀린 듯 걸었던 기억까지. 대서양의 노을과 밤하늘은 아무리 봐도 질리지 않는다. 버스에서 내려 다시 묵시아로 걸어갈까 잠깐 생각이 스쳤지만 인생에 단 한 번이기에 미친 듯 아름다울 수 있는 장면도 있다는 것을 깨달아버렸다.

　흔한 로맨스 영화의 해피엔딩을 싫어했다. 그 장면 뒤에는 따분하고 짜증나는 지극히 현실적인 생활이 기다린다. 모두가 그것을 안다. 그럼에도 불구하고 강렬하게 빛나는 한순간만을 클로즈업해서 보여주는 것은 기만이다. 비유하자면 삶에 지쳐버린 자들이 맞는 마약 같은 것이다. 적어도 그렇게 생각했다. 그러나 길을 걸으며 생각이 많이 바뀌었다. 흔한 로맨스 영화 같은 길이었다. 힘든 하루 끝에는 등 뒤로 펼쳐지는 장관이, 타오르는 노을이, 안식이 있었다. 그리고 그 모든 것들은 제일 힘든 고생마저도 가치 있게 만드는 힘을 지녔다.

내 순례의 끝, 마지막 감상이 이렇게 상투적인 것일 줄 누가 알았을까. 말 잘 듣는 아들이었고 학생이었음에도 반골 기질이 있었던 나는 적어도 원효대사와 같은 깨달음을 얻고 싶었다. 그랬다면 원효와 함께 길을 걷고 해골물 사건을 겪었지만 끝까지 당나라로 간 의상처럼 계속 길을 걷지는 않았을 것이다. 땡중 원효처럼 중간에 때려치고 한국으로 가도 그것으로 충분할 것이라고 길을 걸으며 늘 되뇌었다.

내 생각이 짧은 탓인지, 해골물을 원샷하지 않아서였는지 모르겠지만 한순간 깨닫고 한국행 비행기를 타는 일은 일어나지 않았고 결국 나는 세상의 끝까지 걸어왔다. 그리고 뻔한 불경을 얻은 의상처럼 뻔한 깨달음을 얻었다.

내 길의 결론은 아주 단순하고 당연한 것이었다. 그렇지만 이상하게도 더 이상 고작 이걸 위해서 이 길을 걸었나 하는 후회는 들지 않는다. 하나에 하나를 더하면 둘이 된다는 진리는 무시할 수 있을 만큼 당연하지만 모든 사칙연산의 뿌리가 된다.

누군가가 내게 산티아고 길에서 무엇을 얻었냐 말하면 나는 흔한 깨달음을 얻었다 대답할 것이다. 여느 자기계발서에서나 말해 줄 수 있는 그런 깨달음을 얻었다고 말할 것이다. 하지만 그런 깨달음이 무엇이냐 묻는다면 나는 침묵할 것이다. 말할 수 없는 것에 대해서는 침묵해야 한다고 비트겐슈타인은 말했다. 그의 진정한 발화 의도가 내 의도와는 다르겠지만, 지금 길을 마친 이 순간 나는 침묵할 수밖에 없다. 자신의 깨달음을 널리 알려 성인이 된 이들과는 달리 내가 성인이 될 수 없는 이유다.

깨닫기 위해 까미노에 오를 필요는 없다. 석가의 깨달음은 흔히 볼 수 있던 궁궐 옆 걸인에서 비롯되었다. 충분히 좋은 눈만 있다면 이 세상에는 보고 느낄 수 있는 것들이 아주 많다. 이 글을 읽고 내가 무엇을 얻었는지 궁금해서 까미노에 오를 필요는 더더욱 없다. 나는 나의 까미노를 걸었다. 두 명의 사람이 같은 길을 걷는다 해도 사실 그들은 서로 다른 길을 걷는 것이다. 어떤 이들은 분명 실망할 것이고 어떤 이들은 더욱 크게 느낄 것이고 어떤 이들은 감동할 것이다. 하지만 적어도 까미노를 걷는 이유를 가지고 있다면, 그리고 온전히 자신에게 집중한다면 그것이 무엇이든 그 이유 이상의 것을 보고 듣고 느낄 것이다.

까미노를 이만 끝내기로 다짐한 순간 제일 처음 든 생각은 '이제 뭐하지?'였다. 순식간에 할 일이 사라졌다. 사실 할 일은 많다. 비행기표를 끊었을 때의 계획대로 포르투를 가고, 파티마를 가고, 리스본을 가고, 그라나다, 지브롤터, 세비야, 바르셀로나, 마드리드를 가면 될 것이다. 그렇지만 저 생각을 했을 때 처음 머릿속에 들어온 것은 막막한 감정도, 어서 빨리 계획을 수정해야겠다는 생각도 아니었다. 나는 멈추고 싶을 때 멈출 수 있을 만큼 자유롭구나 하는 생각이 들었다. 어쩌면 내일 당장 뜻이 바뀌어 다시 어딘

:
:

걸어왔던 길을 차를 타고 돌아감은 묘한 배덕감을 느끼게 했다.

가를 향해 걸을지도 모른다. 아니면 산티아고에 한 일주일 묵을 수도 있겠다. 아니면 원래 계획대로 포르투, 파티마, 리스본 등지를 떠돌아다니겠지. 그러나 이 모든 것은 내 손 안에 있다. 그리고 나는 아무 걱정도 문제도 없이 단순히 생각할 뿐이다.

멀미나는 세 시간의 주행을 마치고 산티아고에 다시 돌아왔다. 늦은 점심을 먹고, 알베르게에 체크인을 하고, 미사를 참례하고, 돌아오는 길에 역시나 와인 한 병을 사왔다. 평소처럼 알베르게 홀에 앉아 와인을 홀짝이며 글을 써내려갔다. 그리고 이제 이 글도 내 순례처럼 막바지에 도달했다. 나는 다시 질문을 던지며 순례를 마무리 짓는 이 글을 마친다. '이제 뭐하지?'

3부

:
:

까미노 그 후

:
:

안녕,
산티아고

정오에 출발하는 파티마행 버스에 오르며 산티아고 데 콤포스텔라와도 이별했다. 약 360km. 원래 계획대로라면 2주 간 걸었어야 했을 길이다. 빠르게 차창 밖으로 지나가는 낯익은 들판을 보면서 다시 저 들판을 걷고 싶다는 욕구가 솟구쳤다. 길 위에 조개껍데기와 화살표가 보이는 듯했다. 바지가 두 개나 해져 찢어질 만큼 걸었으면서도 욕구가 샘솟는 것을 보면 발목이 너덜대고 땀을 쉴 새 없이 흘렸으면서도 걸을 때 나는 퍽이나 행복했나 보다. 하지만 이제 저 길은 내 길이 아니니 바라볼 수밖에.

아쉬움은 언제나 진한 향기를 남긴다. 그러나 진하게 남은 그 향기를 좇아 언젠가는 돌아올 것 같다. 결핍과 아쉬움은 다르다. 어서 채워야 하는 결핍과 달리 아쉬움은 굳이 당장 채우지 않아도 된다. 아쉬움은 이미 충분한 상태에서 조금 더 완벽하기 위한 감정이다. 내가 이 길에 작별을 고하며 느끼는 것은 아쉬움이다. 좀 더 완벽하게 길을 걸었다면. 좀 더 느리게, 가끔은 풀밭에 누워 햇빛을 쐬어보기도 하고, 만나는 사람들과 조금 더 반갑게 인사하며 이 길을 있는 힘껏 사랑할걸.

그러나 사람은 완벽할 수 없다. 그래서 모두가 언젠가 다시 이 길로 돌아오곤 하나 보다. 〈걱정 말아요 그대〉의 가사 한 대목처럼 지난 것을 지난 것으로 바라볼 수 있는 시선을 가지고 싶다. 다만 지금 이 아쉬움이 언제까지나 가슴 깊숙한 곳에 자리해 나를 이 길로 언젠가 이끌었으면 하는 바람이다.

안녕, 산티아고.

: 안녕, 산티아고

아줄레주의
추억

누구에게나 그렇듯 내게 있어서도 특별한 색이 몇 개 있다. 파란색 역시 나에게 특별한 색이었다. 대학에 들어온 이후에야 두 말 할 것 없이 라이벌 대학의 색으로 자리매김했지만 그 이전 나에게 파란색이란 바다의 색, 하늘의 색이었다. 산티아고 길을 걸으며 언제나 파란 하늘을 본 것은 아니었다. 하지만 그럼에도 불구하고 구름들 사이를 뚫고 얼굴을 내미는 파란 하늘이라든가, 870km를 주욱 걸어와 마주하는 파란 바다는 지친 나에게 힘을 실어주곤 했다.

　한국을 떠나온 이래 처음으로 하루종일 비가 내리던 날, 코임브라에 도착했다. 코임브라는 포르투갈 제 3의 도시임과 동시에 옛 수도다. 유럽에서 제일 오래된 대학 중 하나가 있으며 포르투갈의 혼이 담겨 있다는 노래 '파두'가 유명한 곳이기도 하다. 그러나 코임브라의 첫 인상은 비 때문인지 그리 좋지는 않았다.

지도를 대강 보고 잡은 숙소는 꽤나 높은 언덕에 있었다. 세차게 내리는 비를 온몸으로 받아가며 땀인지 빗물인지 모를 액체에 흠뻑 젖어 언덕을 오르는 일은 까미노에서의 경험 중 일부를 떠오르게 했지만, 까미노를 죽도록 그리워하던 그 상황에서도 썩 유쾌하지 않았음은 변함이 없었다. 더군다나 닳아버린 등산화 밑창이 매끈한 돌로 포장된 길에서 미끄러져 무릎을 한번 찧고 나니 여행객으로서 맞이한 첫날 첫 기억은 최악이었다.

약 3.5km에 달하는 도시 속 등산을 마치고 숙소에 도착하자 완전히 뻗어버렸다. 가만히 누워서 흐린 하늘이 비치는 창문을 바라보며 까미노 위의 파란 하늘과 쭉 뻗은 길을 그리워했다. 내가 향수를 느끼던 대상은 편하고 아름다운 길이었던가 아니면 순롓길 그 자체였던가 잠깐 생각해 보았다.

몸을 씻고 두 시간쯤 가만히 누워 있으니 피로가 좀 가셨다. 그래도 왔으니 한번 둘러보아야겠다는 사명감이 불타올라 다시 도시 속으로 뛰어들어갔다.

아무 계획 없이 발걸음 닿는 대로 걸었다. 30분쯤 걸었을까, 이윽고 강이 나왔다. 날이 흐리고 비가 와 물은 파랗기보다는 짙은 갈녹색에 가까웠지만 흐르는 물을 볼 수 있다는 것만으로 행복했다. 갈매기들이 난간 위에 줄지어 앉아 있던 강가를 따라 걷다 보니 산타 크루즈 대성당으로 이어지는 이정표가 눈길을 사로잡는

다. 이정표를 따라 산타 크루즈 성당으로 갔더니 한 시간 반 정도 후에 저녁 미사가 있다고 한다.

저녁 미사에 참례하기로 하고 성당 내부를 찬찬히 살펴보았다. 역시나 화려한 내부. 도금된 성물들과 정교한 조각들은 스페인의 성당들과 크게 다르지 않았다. 그런데 마치 다른 세계에 있는 착각을 주던 스페인의 성당과는 사뭇 다른 분위기를 느꼈다. 묘한 이질감에 성당 내부를 둘러보는데 내내 떠오르던 까미노의 푸른 하늘과 바다가 설핏 스쳐 지나갔다.

성당에서 그렇게 그리웠던 까미노의 바다와 하늘을 보았다. 성당의 내벽은 파란색 그림이 그려진 도자기 타일, 아줄레주로 도배가 되어 있다. 미술 시간 교과서에서나 보던 아줄레주가 아닌 내 첫, 살아있는 아줄레주였다. 그림의 양식은 일반 성당에서 흔히 볼 수 있는 성화와 다르지 않다. 오히려 한 가지 색상만 사용된 덕에 훨씬 단순하다. 그러나 오로지 파란색으로만 그려진 그림을 본 기억이 없기 때문이었는지 아니면 하늘과 바다가 그리웠던 탓인지 그 단순함은 왠지 신비하게 다가왔다.

흐린 하늘 아래서 우울하게 까미노를 걷다 보면 구름 사이 손바닥만한 푸른 빛이 그리 반가울 수 없다. 비록 비바람이 불어 유서 깊은 거리마저도 슬럼가로 만들어버리는 날씨였지만 조그만 아줄레주 하나로 내 마음은 가득 차게 되었다.

내게 포르투갈의 색은 늘 그 국기의 색마냥 붉은색과 초록색이었다. 여태 와본 적도 없었고, 포르투갈에 대한 나의 기억은 오

묘한 감정이 들게 했던 아줄레주.
성당 안은 여러 아줄레주로 도배되어 있었다.

로지 2002년 월드컵 예선전에서의 자홍색 유니폼이었을 뿐이니 그럴 법도 하다. 오늘 예상치 못했던 곳에서 포르투갈의 다른 색깔 하나를 만났고 파란색은 내게 조금 더 의미있는 색이 되었다.

아줄레주를 한참동안 감상하다 미사가 끝나고 포트 와인이나 한 잔 해볼까 하는 생각에 성당 바로 옆 카페로 들어갔다. 포트 와인을 홀짝대며 늘 그렇듯 기억을 정리하고 있는데, 기타와 포르투갈식 기타를 든 남자 둘과 코임브라 전통 망토를 걸친 백발 할아버지 한 분이 들어오신다. 포르투갈 민요인 파두 공연이었다. 코임브라에서 언제건 파두 공연을 보고 가고자 했는데 우연히 들어온 카페에서 운 좋게도 파두 공연을 보게 되었다.

파두는 구슬프다. 코임브라와 리스본 두 곳이 파두 공연으로 유

: 포르투갈의 파두

명하다고 하는데 두 지역 중 코임브라의 파두가 특히 슬프다고 한다. 포르투갈어를 못 하기에 당연히 알아들을 리 만무했지만 기타의 구슬픈 음색과 가수의 호소력 짙은 발성에는 애절한 울림이 있었다. 기억을 정리하던 저녁 시간에 새로운 기억이 쌓여버려 글을 잠깐 멈추고 파두 공연에 빠져들었다.

3분 같던 파두 공연이 끝나자 시장기가 밀려왔다. 점심도 제대로 안 먹은 탓이다. 코임브라 맛집을 검색해 볼까 하다 공연의 감동이 아직 남아있었기에 감정을 유지하며 비 오는 밤거리를 걷기로 했다. 비가 추적추적 오는 밤거리를 청승 떨며 헤집고 다녔다. 발길은 나도 모르게 강가로 향했다. 강이 슬슬 보일 무렵 조그만 골목으로 접어들었다.

사람 둘이 지나가면 꽉 찰 것 같던 흔한 골목에는 웬일로 사람들이 가득했다. 작은 식당 앞에 사람들이 줄을 선 것이 보였다. 마침 만난 골목식당이 반가워 덩달아 줄을 섰다. 아무리 기다려도 줄이 줄지를 않아 함께 줄을 서던 사람에게 물어보니 오픈 시간까지는 40분 정도가 남았단다. 제대로 찾아온 느낌이다.

40분을 기다려 들어간 식당은 기대를 저버리지 않았다. 돼지 등뼈찜과 돼지갈비에 돼지뼈 스튜와 밥이 곁들여 나오는 요리에다가 와인 한 병을 주문했다. 한국의 감자탕과 돼지 생갈비가 애매하게 떠오르는 맛이었지만 꽤나 훌륭했고 기분 좋게 차오르는 술기운을 느끼며 다시 밤거리로 나섰다. 거리의 악사는 타이타닉 OST를 멋들어지게 연주했고 파두의 감동과 조금의 술기운은 거리의 분위기와 섞여 한낮의 축축함을 완전히 지워버렸다.

: 포르투갈식 돼지갈비

발길이 다시 닿은 곳은 산타 크루즈 성당 앞이었다. 성당 문은 닫혀 있었지만 성당 옆 카페는 아직 열려 있다. 다시 카페에 들어가 이번에는 화이트 포트 와인을 주문했다. 레드 포트 와인은 질 좋은 브랜디의 느낌이 났고 화이트 포트 와인에서는 아이스 와인과 아몬드 향이 풍겼다.

시간대도 완벽해 오늘의 두 번째 파두 공연이 곧 시작되었다. 같은 레퍼토리였지만 주는 울림은 역시나 깊었다. 두 번째 파두 공연과 아몬드 향이 나는 와인 한 잔으로 고된 하루를 마무리 지었다. 희로애락이 모두 담긴 날이었다. 끝이 좋았기에 모두 좋았던 날이었다. 낑낑대고 미끄러져가며 올랐던 숙소까지의 오르막은 여전히 낑낑대고 미끄러지며 올랐지만 그마저도 즐거웠다. 비바람이 불고 흐리던 날이었지만, 그토록 바라던 하늘과 바다의 파란색을 보았다는 사실은 오늘도 나를 더없이 행복한 사람으로 만들었다.

길을 걸으며 한없이 단순해지기를 원했다. 주변이 온통 캄캄해도 작은 촛불 하나가 있다면 그 자체로 행복할 수 있는 사람이었으면 했다. 그리고 오늘 아줄레주는 마치 어둠 속 촛불과도 같았다. 그 하나로 나는 행복의 실마리를 잡아 이어나갈 수 있었다. 이제 단순해졌으니 마음 속에 촛불을 담고 싶다는 욕심이 생겼다. 언젠가는 눈으로 보고, 귀로 듣고, 혀로 맛보지 않아도 마음 속 촛불 하나가 있다는 사실에 언제나 행복한 사람이기를.

환상통

까미노에 작별을 고한 지 어느덧 일주일. 나는 다시 까미노를 걷게 되었다. 파티마에서는 코임브라까지만 걸어볼까, 코임브라에 있을 때는 포르투까지만 걸어볼까 하는 생각이 있었지만 이렇게까지나 갑자기 걷게 될지는 그 누구도 상상조차 못 했을 일이다.

코임브라에서 바로 포르투로 올라갈 계획이었다. 그런데 여행 첫 시작부터 많은 도움을 주신 분이 중간지점인 아게다에 계시다길래 한번 뵙고 싶어 중간에서 하루 묵었다. 12월 까미노 톡방 중 제일 먼저 까미노를 걷기 시작하셨고 피스테라에서 멈춰버린 내 여정과는 달리 산티아고에서 피스테라와 묵시아까지 가셨다가 지금은 포르투갈 남쪽 라고스까지 걸어가시는 분이다. 엊저녁에 함께 와인 한 잔을 하고 아침에 일어나 각자 가야 할 곳으로 갔다. 나는 오후 1시에 아게다에서 포르투로 향하는 버스를 탈 예정이었고 그분은 일찌감치 떠나셨다.

아게다를 벗어나는 다리 중간에서 작별을 하고 다리를 되건너오는데 익숙한 조개표시와 노란 화살표가 보인다. 까미노를 떠난 지 꽤 시간이 지났지만 잊을 수 없는 표시다. 오랜만에 까미노 표시를 보니 가슴이 두근대었다. 결국 남은 시간동안 마을을 돌기보다는 표시를 따라 되는 대로 걸어갔다가 버스 시간에 맞추어 돌아오기로 했다.

늘 입던 등산바지 대신 청바지를 입었고 스틱은 짚지 않았다. 까미노를 걷지 않은 지 2주도 채 안 되었지만 마음만은 십 년 만의 귀향 같았다. 마을을 빠져나가 다시 자연을 마주했다. 30분쯤 걸

: 떠나는 이, 남는 이

어 마주한 포장되지 않은 오르막을 오르고는 땀을 닦으며 한숨 돌렸다. 걷지 않던 십여 일 동안 슬슬 지루함을 느껴가던 차였다. 기분이 그렇게 좋을 수가 없었다. 바람은 시원하게 불고 심장은 미친 듯이 뛰며 근육들에는 힘이 다시 솟구친다.

물 한 모금을 마시다가 문득 버스 시간을 다시 확인해 보려고 핸드폰을 보았다. 알베르가리아. 1시 출발. 뭔가 이상함을 느끼고 다시 핸드폰을 보았다. 분명히 아게다에서 1시에 출발한다고 적혀 있어야 했을 티켓에는 알베르가리아라는 마을에서 1시에 출발한다고 적혀 있었다. 벼락을 맞은 기분이었다.

서둘러 다시 아게다에서 포르투로 출발하는 티켓을 검색해 보았지만 일요일이라 그런지 버스도 기차도 전혀 없었다. 도대체 나는 무엇을 보고 예매를 했던 것인가 싶어 허탈했다. 이왕 이렇게 된 것 어쩌겠나. 그리고는 알베르가리아는 어디쯤 있나 지도를 보았다. 알베르가리아는 아게다에서 15.8km 가량 북쪽으로 떨어진 마을, 내가 있는 지점에서는 12.5km만 더 위로 걸어가면 만날 수 있는 마을이다. 그리고 무엇보다도 산티아고 순롓길 중 포르투갈 길을 걷게 된다면 아게다 다음에 묵게 될 마을이다.

한참 동안 웃음을 멈출 수가 없었다. 이제 완전히 끝이라고, 다시 걷는다고 해도 몇 년 후라고 생각했었는데 아무리 도망가도 나는 이 길을 벗어날 수 없었나 보다. 오늘 내가 어차피 떠나야 하는 도시와 가야 하는 도시가 모두 까미노 위에 있었다.

결국 걷기로 했다. 3km를 되돌아가 택시를 탈 수도 있었을 것이다. 하지만 어쨌든 걷기로 했다. 잠결에 제대로 확인도 안 하고 버스를 예약해 버린 실수 하나 덕분에 까미노를 다시 걷는 호사를 누리게 되었다.

까미노의 많은 날처럼 오늘도 오르막은 힘들고 길은 고요하고 하늘은 파랬다. 까미노를 떠난 이래 나는 계속 까미노 블루를 느끼고 있다. 나는 더 걷고 싶다 외쳐댔고 그에 대한 응답을 받았다. 까미노를 걷던 그때처럼 하루에 30km 가까운 거리를 걷지는 않았지만 그만으로도 충분했다. 까미노 위에 있을 때는 종종 거리에 집착하곤 했다. 중요한 것은 거리도, 속도도 아니었다. 제일 중요한 것은 까미노를 걷는 마음 그 자체였다. 혹시나 너무 빨리 걷지는 않을까 우려하며 아껴 걷던 마지막 피스테라 길에서조차 나는

: 까미노를 걷던 그때처럼

묶여 있었다. 오늘은 빠름에 대한, 그렇다고 느림에 대한 집착도 없이 그 어느 때보다 자유롭게 걸을 수 있었다.

걷다 보니 두 시간 반이 훌쩍 지나 알베르가리아 버스 정류장에 도착하게 되었다. 그러고도 시간이 남아 근처 카페에서 에그타르트 두 개와 에스프레소로 여유롭게 점심을 때웠다.

버스를 타고 지나가는 들판을 바라보았다. 이제 마음속에는 아무것도 남아있지 않았다. 까미노에 대한 아쉬움도, 저 길을 걸었어야 하는데 하는 죄책감도, 걷고 싶다는 욕망도 모두 길을 걸으며 스러져갔다. 모든 집착이 스러지자 그저 빠르게 스쳐가는 들판 위에 떠있는 해와 빨간 지붕을 가진 조그만 집들이 옹기종기 모여 있는 포르투갈의 시골 마을이 얼마나 예쁜지에 대한 감상과 행복만이 남았다.

느림은 느림의 미학이 있다. 빠름은 빠름의 미학이 있다. 거북이에게 너무 느리다고, 치타에게 너무 빠르다고 타박할 수 없다. 인생을 빠르게 달려가는 이들에게 조금 쉬어가라고, 천천히 사는 이들에게 왜 이렇게 느적거리느냐고 일침을 가하는 것도 옳지 않다. 슬로 라이프가 트렌드가 되어버린 이 시대에 자신이 너무 빠르다고, 혹은 빠르게 돌아가는 이 세상에서 자신이 너무 느리다고 자책할 필요도 없어 보인다. 다만 살다가 가끔씩 질문 몇 마디를 자신에게 던져보는 것 정도는 괜찮을 것 같다. "내 인생은 얼마나 아름다운가." "나는 과연 행복한가."

빛바램의
미학

돔 루이스 다리 주변에서 다리 밑 흘러가는 물처럼 시간을 보냈다. 조물주의 조형물과 인간의 조형물 모두를 즐기고 싶던 나는 다리가 보이고 강이 보이는 최적의 장소를 찾았고, 한참 강 주변을 떠돌다 드디어 강변 조그만 레스토랑에서 내 욕구를 채워줄 만한 자리를 찾아 앉았다.

  밴쿠버에서 교환학생을 왔다는 친절한 웨이터 덕분에 즐거운 시간을 보냈다. 마침 한산하던 시간이라 우리는 그대로 해가 돔 루이스 다리 건너편에서 도루 강 위로 옮아갈 때까지 캐나다의 로키와 포르투의 돔 루이스, 포트 와인에 대해 많은 이야기를 나누었고, 오랜 시간 동안 한 자리에 앉아 움직이지 않는 낯선 이방인에게 주인은 서비스와 따뜻한 미소를 아끼지 않았다.

강 건너를 바라보면 빽빽이 들어선 형형색색의 건물들이 보인다. 그러나 세월을 맞은 턱에 흰색은 상아색 혹은 회색으로, 빨간색은 연한 벽돌색, 초록색은 눅눅한 풀빛으로 빛이 바래 있다. 그러나 그 모든 것들은 완전한 조화를 이룬다. 분명히 과거의 어느 순간에는 온전한 색으로 활기찬 거리였으련만 지금 빛이 바랜 이 순간에도 역시 잔잔한 아름다움을 지닌다. 빛바램의 미학이다.

가끔 카메라를 들고 출사를 나갈 때면 어김없이 내 눈을 사로잡는 것은 노년을 맞이한 이들이다. 그들의 빛바랜 머릿결과 세월이 스쳐간 모래언덕 같은 주름살 사이로는 청춘에서는 느낄 수 없는 연륜이 흐른다. 그러한 것들은 강 건너편의 빛바랜 건물들에 비슷한 색의 새 페인트를 칠한다고, 청년에게 노인 분장을 시킨다고 얻을 수 없다. 오로지 빛바램만이 줄 수 있는 아름다움이 바로 이런 것이지 않을까.

도루 강변에서 강바람을 맞으며 계속 건너편의 건물들을 바라본다. 문득 든 생각. 빛바램의 미학은 포용이다. 절대 어울리지 않을 것 같던 색들이지만 빛이 바래면 어느 순간 파스텔 톤으로 조화를 이루게 된다. 청년들을 당황케 하는 문제들을 담담하고 의연하게 마주하는 노인들이 있다. 빛이 바래다 보면 본질에 조금 더 집중하게 되나 보다.

그러나 파스텔 톤의 페인트를 새 건물에 칠한다고, 청년의 이마에 주름을 애써 새기고 머리를 하얗게 물들인다고 그들의 빛이 바래지 않듯 빛바램의 미학 역시 자연스럽게 빛이 바래지 않는다면 절대 얻을 수 없는 것이다. 그리고 빛이 바래지 않은 새 것들은 새 것대로, 청춘은 청춘대로 그 가치가 있다. 청춘을 보내고 있는 내가 해야 할 것은 빛바램의 미학을 동경하는 것이 아닌 청춘을 아름답게 청춘대로 보내고 아름답게 빛바래가며 아름답게 스러지는 것이다.

이번 여행 중 만났던 오 세브레이로와 피스테라의 노을을 잊을 수 없다. 노을은 자신을 제외한 모든 것을 그림자 속으로 내몰고서는 홀로 남아 강렬한 붉은 빛을 내다 이내 자신도 어둠 속으로 묻혀버린다. 노을은 오직 그 자리에 있을 수 있는 소수에게만 허락된, 찰나의 순간 동안 펼쳐지는 황홀경이다. 모든 것을 달구는 하얀 태양빛이 바래면 노을이 된다. 노을은 한낮의 태양만큼 뜨겁지 않다. 감동이 있다.

머리 위에 있던 해는 어느새 바다를 향해 있었다. 그러자 건너편 건물들을 비추던 하얀 빛이 어느덧 빛바랜 노란 빛으로 바뀌고 강물에는 황금기가 돌기 시작했다. 이 카페에서 바다를 향해 걷기로 했다. 870km를 걸어 피스테라에서 지는 해를 보았을 때처럼 대서양으로 지는 해를 다시 내 두 발로 걸어 바라보고 싶었다. 바다로 향하다 보면 중간에 조그만 빛바랜 성당이 있을 것이다. 빛바랜 성당에서 저녁 미사에 참례하고, 빛이 바래가는 오늘의 해를 볼 예정이다. 유달리 친절했던 종업원에게 팁을 남기고 일어섰다. 그리고 나는 하루하루 빛이 바래가는 내 인생처럼 지구에서 제일 큰 빛바램을 향해 다시 걷기 시작했다.

폭풍 속의 에그타르트,
그리고
에스프레소 한 잔

삶은 버라이어티하다. 내가 아무 일도 만들지 않으면 삶은 직접 내 손을 잡고 나를 폭풍 속으로 이끌곤 했다. 그리고 폭풍에 맞서 싸우는 조각배 한 척이 되느냐 아니면 해일을 타고 오히려 폭풍을 즐기는 서퍼가 되느냐 하는 것은 온전히 나의 선택이었다.

여권을 잃어버렸다. 순렛길에 오르며 공항에서 산 만다리나덕 슬링백과, 작년에 사서 애지중지하던 레이밴 선글라스와, 꽤 오래 도록 끼고 다니던 AKG 이어폰과, 핸드폰의 생명줄이던 보조배터리와 함께 여권이 사라졌다. 순렛길을 걸으며 하루하루 도장을 찍어나가던 순례자 여권도 가방 속에 있었다. 늘 내 어깨에 조그만 무게를 실어주던 슬링백의 부재로 허전함을 느꼈을 때에서야 무언가 잘못된 것을 알아차렸다. 지갑은 다행히 몸에 소지하고 다녔기에 돈은 무사했지만, 여권이 사라짐에 따라 나는 머나먼 이베리아 반도 속 이름도 정체성도 없는 누군가가 되었다.

언제나 그렇듯 처음에는 당황스러웠다. 당장 다음 날 나는 세비야로 떠나는 비행기를 타야 했고 이런 상황 속에서 여권이 없음은 모든 것이 한순간에 뒤틀어짐을 의미했다. 어제 가방을 찾아 헤매다 결국 못 찾고 경찰서에 분실신고를 했다. 경찰에서는 하루 더 기다리면 분실물이 들어올 수도 있으니 나중에 찾아올 것을 권했다. 그리고 오늘 경찰서에 다시 방문했다. 일말의 희망을 품었지만 아니나 다를까 들어온 분실물은 없었다.

혹시 어디엔가 버려져 있지는 않을까 싶어 택시를 타고 가방을 잃어버린 곳으로 갔다. 비릿한 바다 내음이 풍기는 포르투 주변의 항구 마을이었다. 소나기가 세차게 내리고 있었다. 가방을 잃어버린 날처럼 우산을 쓰고 바닷가를 따라 쭉 걸으며 쓰레기통도 뒤져 보고 풀숲도 뒤져 보았다. 물론 풀숲에서 찾은 2유로짜리 동전 하나뿐 아무런 소득은 없었다. 만일 가방이 이곳에서 버려졌다면 지금쯤 저 대서양 어딘가를 떠돌고 있을지도 모르겠다. 주운 2유로짜리 동전을 가지고 근처 카페로 가서 에그타르트와 에스프레소 한 잔을 시켰다.

에스프레소는 쌉쌀했다. 하지만 달콤한 에그타르트와 함께라면 그 쌉쌀함마저 매력적이다. 에그타르트는 혀가 녹아버릴 것처럼 달았다. 하지만 쌉쌀한 커피와 함께라면 완벽한 조화를 이룬다. 가볍게 아침을 때우고 카페에서 나오니 어느덧 비가 그치고 볕이 들기 시작했다.

내가 지금 느끼는 이 기분은 과연 절망인가 생각해 보았다. 절망적일 만도 하다. 여권이 없는 나는 이베리아 반도에 떨어진 이름도, 국적도 없는 아시아인일 뿐이다. 나의 까미노 여정을 증명해 줄 순례자 여권도 사라졌다. 하지만 이상하게 지금 이 순간 절망을 느끼고 있진 않다. 항구의 시원한 바람과 건너편 도시를 비추는 햇살이 반가웠고 내 마음은 물결 따라 잔잔히 흔들리는 배들마냥 평온했다. 절망이라기보다는 희망에 가까웠다.

모든 것이 꼬였다. 삶의 폭풍은 나를 다시 한 번 시험에 들게 했다. 그러나 폭풍 속에서도 나는 미친 사람처럼 모든 것이 즐겁다. 2013년 수능의 24번 영어지문이 떠올랐다. "The fact that the ground is wet and there are mud puddles dotting the landscape means nothing to the dogs." 외적인 것에 얽매이지 않는 행복에 관한 글이다. 비가 오고 발을 더럽힐 만한 진흙 웅덩이가 곳곳에 포진한 날에도 개들은 행복하게 뛰어 놀 수 있다는 지문이었다.

총체적으로 개 같은 사람이 되는 것은 지양해야겠지만 진짜 행복을 찾기 위해서는 필요한 자세이다. 객관적으로 보면 내 상황은 폭우가 내리고 천둥번개가 치는 밤과도 같다. 심지어 어제 여권을 찾아다니다 미끄러져 오른쪽 무릎을 긁어먹기도 했다. 하지만 걱정 없는 나를 보며 확실히 순렛길 동안 뭔가가 변하긴 했구나 하는 생각을 해본다.

내일은 리스본의 한국 대사관으로 가서 임시 여권을 발급 받을 것이다. 애초에 리스본은 갈 생각이 없었지만 삶은 나를 리스본으로 이끌었다. 그곳에서 찾을 수 있는 것이 무엇일지, 있기나 할지는 아무도 모르긴 하지만 결국 나는 수만 리 떨어진 타향에 있고 무엇 때문에 어디를 가든 그것은 여행의 일부분이 된다.

새로운 도시를 만난다는 생각에 나는 다시 설레기 시작했다. 오늘은 포르투에서의 마지막 날을 즐길 것이다. 쓰디쓴 에스프레소와 함께라면 완벽한 에그타르트의 도시, 포트 와인의 도시, 물의 도시, 빛바랜 강변의 건물들이 아름다운 도시, 잃어버린 내 가방과 여권이 떠돌고 있을 도시이다. 여권과 가방을 놓고 가되 그것보다 어쩌면 더 클 만한 추억을 들고 이 도시를 곧 떠난다.